Des vies antérieures
aux vies futures

Immortalité et Réincarnation

PATRICK DROUOT

DES VIES ANTÉRIEURES AUX VIES FUTURES

Immortalité et Réincarnation

ÉDITIONS DU ROCHER
Jean-Paul BERTRAND
Éditeur

Du même auteur aux Éditions du Rocher

Nous sommes tous immortels.

© Éditions du Rocher, 1989.
ISBN : 2-268-00 753-7.

REMERCIEMENTS

J'ai reçu, depuis plus de dix ans, aide et inspiration de beaucoup d'êtres qui ont tenu une place importante dans ma vie. Certains furent des guides du passé et du présent, d'autres des proches, certains furent l'un et l'autre. Il m'est impossible de tous les citer.

Certaines contributions furent telles que je tiens à leur rendre un hommage tout particulier. Je tiens à remercier Annick Lacroix pour avoir cru en ma démarche et pour m'avoir constamment guidé tout au long de la rédaction du manuscrit.

Ma reconnaissance la plus profonde va à ma famille – à ma femme Marguerite et mon fils Patrick – qui a supporté avec patience les bouleversements intellectuels, philosophiques et spirituels inhérents à ma quête. Marguerite s'est avérée une amie et une conseillère précieuse que seul un très ancien cheminement personnel pouvait inspirer.

Aux lumières qui vivent au-delà des étoiles.

Patrick DROUOT

A toutes les lumières du passé que j'ai eu l'immense bonheur de retrouver dans mon présent.

L'être humain est un pont entre deux mondes, mais ce qu'il y a justement de grand en lui, c'est qu'il est un pont et non un but, un passage et non un déclin.

Patrick Drouot

INTRODUCTION

A la suite de la parution, en février 1987, de mon premier livre, *Nous sommes tous immortels* [1], j'ai reçu véritablement des milliers de lettres de chercheurs, de philosophes, d'hommes d'Église, de représentants du monde médical, d'artistes et de chanteurs connus même, et du public en général, de toutes les couches socioprofessionnelles.

J'ai rencontré aussi des centaines de personnes – en France, en Suisse et au Canada – lors de conférences, de séminaires ainsi qu'en séances individuelles, quoique je ne reçoive plus depuis l'été 1987. Et à travers ces contacts, au-delà du bonheur que j'ai trouvé à ces échanges, j'ai réalisé quel formidable intérêt suscite aujourd'hui la question de la réincarnation, celle de l'après-vie et, au-delà de ces questions, celle de la nature même de l'homme. Qui sommes-nous? Que fait l'être humain sur terre? Quel est le devenir de l'humanité?

Jamais peut-être, ces questions essentielles n'ont taraudé tant de consciences en même temps et avec tant de force.

C'est que nous vivons une période de crise si évidente qu'il est devenu presque banal de le dire. En moins d'un siècle, le nôtre, les connaissances scientifiques et techniques ont fait un tel bond en avant que nous sommes aujourd'hui à même de résoudre la majorité des problèmes matériels qui se posent à l'homme depuis le début de son existence sur terre.

1. Éd. du Rocher. Le titre originel de l'ouvrage, qui en est à son cinquième tirage était: *Nous sommes immortels. La réincarnation face à la nouvelle physique.*

11

Mais nous découvrons chaque jour que les grands triomphes de la science : la maîtrise de l'énergie nucléaire, de l'intelligence artificielle; les miracles accomplis en bactériologie, en chimie, en génétique peuvent aussi engendrer des cauchemars à l'échelle planétaire. Et nombreux sont ceux qui s'interrogent quant à l'utilité d'un progrès technologique aussi mal maîtrisé.

L'équilibre écologique de la planète est menacé; son équilibre économique instable. Nous vivons dans un monde politiquement divisé, socialement injuste, que déchirent actuellement une trentaine de guerres, où la haine est plus partagée que l'amour, la souffrance plus que le bonheur d'exister; un monde où la compétition prime sur la coopération, l'exploitation de la nature sur la conservation de son équilibre, l'avoir sur l'être, le matériel sur le spirituel; un monde dans lequel l'homme et la nature étouffent.

Nous traversons à l'heure actuelle une crise multidimensionnelle, mais sans doute cette crise est-elle nécessaire. Rappelons-nous que rien n'est figé. Toute vie est mouvement et tout mouvement obéit à des cycles. L'univers – et l'humanité avec lui – obéit à des cycles. Nous sommes actuellement à la fin d'un cycle, au passage d'une ère à une autre : de l'ère des Poissons à l'ère du Verseau. Ce passage est difficile, mais il s'accompagne d'un extraordinaire mouvement de transformation dont on aperçoit des signes partout, depuis la fin des années soixante-dix et qui se manifeste par une prise de conscience d'un nombre croissant de gens.

Prise de conscience de ce que la primauté absolue accordée, depuis Descartes, à la connaissance rationnelle a fait perdre peu à peu à l'homme occidental le contact avec lui-même : avec son corps et son environnement naturel, avec son intuition, avec son âme, sa propre transcendance et enfin avec ses semblables, qu'elle l'a amputé de l'essentiel de lui-même. Prise de conscience encore, de ce que notre vision, purement scientiste et dérivée de ce cartésianisme, d'un monde-machine, nous a fait perdre de sens et de profondeur dans notre appréhension du réel. Cette prise de conscience a engendré et engendre encore un fantastique mouvement d'ouverture à de nouveaux modes de pensée, à d'autres visions de la réalité. J'ai dit dans mon premier livre quelle révolution se profile actuellement dans le monde scientifique, notamment celui de la physique subatomique, et mon propos n'est pas d'y revenir ici. Je souhaite dans cet ouvrage pouvoir répondre à un besoin que je sens fort et qu'un grand nombre de personnes m'ont exprimé, d'ouverture à une autre dimension de l'être humain, plus vaste, plus spirituelle aussi. Il y a à l'heure actuelle un intérêt croissant pour la méditation et toutes les pratiques spirituelles ainsi que pour toutes les visions de l'homme qui n'enferment pas celui-ci dans le seul cadre de son existence physique.

La réincarnation en fait partie.

Au début des années soixante, au moment où mourait Jung, les professionnels de la psychologie et l'ensemble du public occidental étaient plus sceptiques, hostiles au concept de réincarnation. Celle-ci portait encore l'aura noire – diabolique – des phénomènes occultes, sans doute parce que nos religions occidentales ne l'ont jamais admise.

Le célèbre cas Bridey Murphy [1] avait été plus ou moins démoli à la fin des années cinquante et les « lectures » de vies passées que donnait en transe celui qui a sans doute été le plus grand médium de tous les temps, Edgar Cayce, étaient encore très peu connues.

Pourtant, en 1982, un sondage de l'institut Gallup a révélé qu'un Américain sur quatre croit à la réincarnation aujourd'hui. De son côté, la même année, le très conservateur *Sunday Telegraph* annonçait que 28 % des Britanniques partagent désormais cette croyance contre 18 % dix ans auparavant.

Par ailleurs, l'extraordinaire succès que rencontrent, un peu partout dans le monde, depuis quelques années les livres d'Edgar Cayce ou de l'actrice Shirley Mac Laine démontrent bien quel intérêt suscite de nos jours dans le grand public la doctrine enseignée par Bouddha et plus généralement par toutes les grandes traditions orientales.

Goût pour le sensationnel ou intérêt profond? Il est clair à voir le nombre – et le ton – des émissions de télévision, des articles de magazines, des livres, des conférences qui lui sont consacrés que le climat entourant ces sujets a notablement changé.

1. Une jeune Américaine qui avait retrouvé sous hypnose une vie en Irlande au siècle dernier sous l'identité d'un certain Bridey Murphy. Elle s'était mise à parler sa langue : le dialecte gaélique.

Aujourd'hui, même si nombre d'écoles psychologiques et intellectuelles ignorent encore – ou rejettent – l'hypothèse de la réincarnation, des chercheurs, des thérapeutes, tant aux États-Unis qu'en Europe, ont déjà accumulé dans leurs classeurs des milliers de témoignages sur les vies antérieures. Depuis septembre 1986, un médecin psychanalyste qui a travaillé pendant vingt ans sur le phénomène de la réincarnation, le docteur Winnifred Lucas, donne à l'université de Californie [1] un cours de thérapie à travers les vies passées.

Est-ce à dire que nous sommes à l'aube d'une réévaluation radicale de notre conception de l'homme? Un nouveau type de psychologie englobant cette composante fondamentale de l'être humain qu'est l'âme serait-il en train d'émerger?

Après plus de dix années de recherche, au terme de milliers de rencontres et d'expériences, j'en suis arrivé à l'intime conviction que nous ne sommes pas ce que nous pensons. Nous portons en nous des possibilités, notre conscience possède des facultés que, pour la plupart, nous n'avons même jamais soupçonnées.

Le voyage dans les vies antérieures fait partie de ces possibilités. C'est pourquoi j'ai souhaité développer ce thème, tant controversé, de la réincarnation et faire le point des recherches actuelles non seulement sur les vies antérieures mais sur tout ce qui touche à la nature de la conscience humaine.

J'ai volontairement souhaité présenter un ouvrage accessible au plus large public possible. J'espère y être parvenu. Mon plus cher désir est que cette ouverture des consciences qui se fait jour à notre époque soit partagée par le plus grand nombre possible.

1. Faculté de Médecine. UCLA.

PREMIÈRE PARTIE

LES ROYAUMES
DE LA CONSCIENCE

Chapitre Premier

LA RÉINCARNATION : MYTHE OU RÉALITÉ?

Jusqu'au milieu des années soixante-dix, je ne peux pas dire que les phénomènes de l'avant et de l'après-vie m'aient beaucoup passionné. J'étais beaucoup plus intéressé, à vrai dire, par ces phénomènes très concrets que l'on appelle l'avancement professionnel ou un poste important. Je rentrais alors (nous étions en 1975) des États-Unis où j'avais terminé mes études de physique à l'université de Columbia à New York. Mon bagage était scientifique; pas ésotérique. De plus j'étais jeune marié. En 1978, l'entreprise pour laquelle je travaillais m'y ayant proposé un poste, je repartis avec mon épouse Marguerite pour un deuxième séjour aux U.S.A.

Nous avions alors envie d'avoir un enfant et, à la suite de ma femme, je commençai à m'intéresser à tout ce qui tournait autour de la naissance. Je découvris ainsi les mouvements dits alternatifs qui prônaient un accouchement et une naissance différents : le Dr Leboyer et sa pratique de la «naissance sans violence» à travers son livre désormais fameux[1]; le Dr Thomas Verny, médecin canadien et ses idées sur *La Vie secrète de l'enfant avant sa naissance*[2]. Dans la foulée, nous avions décidé Marguerite et moi de faire un peu de yoga – un yoga très simple, postural, le hatha yoga. Nous nous efforcions aussi de changer peu à peu nos habitudes alimentaires et de nous ouvrir plus au monde qui nous entourait. Bref, nous commencions tout juste à envisager la vie sous un angle légèrement différent lorsque j'ai entendu par-

1. *Pour une naissance sans violence.* Éd. du Seuil.
2. Grasset.

ler pour la première fois de recherches sur le phénomène des vies antérieures par un analyste de Chicago, Gregory Paxson. Il travaillait depuis déjà sept ou huit ans, avec tout un groupe, sur certains états désignés sous le terme « d'états altérés de conscience » au cours desquels se produisaient des réminiscences de vies passées. Qu'est-ce qui me poussa à m'intéresser à ça? A l'époque je l'ignorais. Aujourd'hui, bien sûr, j'ai là-dessus des idées très précises. Toujours est-il que je voulus assister à ces séances de « régression dans les vies antérieures », ainsi qu'on les appelait. Je fus immédiatement fasciné. Voir des gens s'allonger, se relaxer, plonger en eux-mêmes et en ramener des « souvenirs » souvent précis et détaillés d'événements qui ne correspondaient à rien dans leur vie actuelle mais qui s'étaient en revanche souvent pro-duits des siècles auparavant : voilà qui défiait totalement la raison et qui en tout cas dépassait résolument les notions que l'on m'avait depuis toujours inculquées, dans l'enfance, à l'école et plus tard à l'université.

Et pourtant, ce prodige, des gens de tous âges, de toutes conditions et manifestement sains d'esprit l'expérimentaient avec constance. Que se passait-il alors dans leur tête? Dévoré de curiosité, je décidai de tenter moi-même l'expérience.

La première fois que je m'allongeai, je ramenai à la conscience la vie d'un moine au XIe siècle pendant la conquête de l'Angleterre par Guillaume le Conquérant, duc de Normandie. Je décrivis avec moult détails non seulement l'abbaye dans laquelle je vivais mais encore la façon dont Guillaume le Conquérant constitua la flotte qui allait emme-ner son armée de l'autre côté de la Manche. Je racontai com-ment il avait réquisitionné jusqu'à la moindre barcasse dispo-nible, comment il avait loué aux hommes du Nord leurs bateaux et leurs services pour transporter les chevaux, le fourrage et les hommes. Je me rendis vraiment compte que j'avais décrit tout cela avec précision en réécoutant la cas-sette enregistrée de la séance dès mon retour. Héberlué, pro-fondément secoué je me ruai alors à la bibliothèque afin d'y consulter tous les ouvrages possibles sur le sujet. J'y retrou-vai des détails que j'avais donnés, des éléments extrêmement précis. Évidemment une question me taraudait : « N'ai-je pas lu un livre, vu un film sur le sujet dans mon enfance ou même mon adolescence dont je ne me souviens pas consciemment mais qui m'a fourni tous ces détails? Et sinon d'où me viennent ces connaissances? »

Je ne trouvai alors aucune réponse et je tentai d'autres expériences : je fis d'autres voyages dans d'autres vies. Mais l'expérience désormais ne me suffisait plus. J'avais besoin de comprendre ce qui se passait, de cerner le phénomène de manière rationnelle car les tentatives d'explication plus ou moins fantaisistes que j'avais entendues jusque-là ne me satisfaisaient pas du tout. Mais je m'aperçus que c'était impossible. Tel quel avec ma vision cartésienne de l'univers, je me trouvais devant une impasse. Car de deux choses l'une : ou bien ces vies antérieures n'existaient pas mais alors d'où venaient ces « souvenirs »? Ou bien elles existaient et dans ce cas rien dans notre cadre de pensée occidental ne permettait d'expliquer le phénomène.

Et en Orient? Je m'inscrivis avec ma femme à l'enseignement que donnait alors Kriyananda, un yogi qui suivait la voie des yogis des Himalayas. Là, je fis plus ample connaissance avec la doctrine de la réincarnation et celle – indissociable – du karma que professent tous les courants de pensée orientaux. Je me familiarisai dans le même temps avec l'ensemble de la vision orientale de l'être humain de son origine et de son devenir : avec les notions d'énergie et de structure énergétique du corps humain (les chakras entre autres); la notion de plans de conscience et, concernant le devenir de l'humanité, celle de cycles temporels. Je fus séduit, et Marguerite avec moi, par cette vision que nous trouvions très cohérente. Que l'être humain soit appelé au but ultime de fondre sa conscience dans la conscience divine, ainsi qu'on l'enseignait, nous paraissait la chose la plus belle qui puisse lui arriver. Toutefois nous ne voulions pas nous enfermer dans une seule vision, si admirable soit-elle, mais approfondir notre compréhension de nous-mêmes et du monde. Nous sommes donc allés chercher d'autres informations chez les Tibétains et notamment dans l'ancestral Livre des morts, le Bardo-Thodol qui traite de la mort, de la période entre les vies et de la réincarnation. A la même époque – nous étions alors au début des années quatre-vingt – nous avons aussi étudié certains courants de la pensée japonaise dont le Bushido, le code d'honneur des Samouraïs, puis la cosmogonie et les rites des Indiens d'Amérique du Nord. Toutes ces visions se recoupaient, s'enrichissaient mutuellement et m'aidaient à progresser dans ma recherche.

Je m'intéressai aussi au courant de la psychologie transpersonnelle et à des chercheurs tels que Abraham Maslow, Stanislas Grof, Roberto Assagioli et Charles Tart, les premiers psychologues et psychiatres à avoir introduit dans les années soixante la dimension spirituelle en psychologie et à avoir développé la notion d'états modifiés de conscience; une notion fondamentale pour comprendre le voyage dans les vies antérieures et sur laquelle je vais longuement revenir.

Parallèlement je m'étais mis moi-même à faire faire le voyage aux personnes – de plus en plus nombreuses à être intéressées – qui me le demandaient. Je me servis au départ de techniques déjà existantes. Puis peu à peu je mis au point mes propres méthodes.

La fin de l'année 1982 nous vit revenir en France, ma société m'y proposant un poste intéressant. Nous n'avions pourtant guère envie d'abandonner toute la recherche que nous avions entreprise aux États-Unis et nous nous demandions bien ce que nous allions pouvoir faire chez nous. C'est qu'il ne nous était pas venu à l'idée que, dans la France très rationnelle que nous connaissions, il pouvait exister un courant d'intérêt pour tout cela. Or il existait, et très vite je réalisai que si j'étais rentré «au bercail» pour une raison, c'était peut-être bien pour parler de ce que j'avais vécu aux États-Unis et en même temps développer les recherches que j'avais entreprises là-bas.

A la fin de l'année 1983, je me trouvai devant un dilemme. Je ne pouvais pas à la fois continuer mes recherches et mon travail professionnel qui exigeait de fréquents déplacements en Amérique du Sud. Avec le plein accord et l'appui de Marguerite je décidai alors de quitter le monde professionnel pour me consacrer entièrement à ce qui m'apparaissait de plus en plus comme l'un des axes fondamentaux de ma vie et l'est resté : l'exploration du monde de la conscience et de ses extraordinaires possibilités et parmi elles tout particulièrement le rappel à la mémoire de souvenirs de vies antérieures.

Sans doute me faut-il ici préciser un peu ma démarche. Je ne cherchais pas alors – je n'ai jamais cherché – à élaborer une théorie de la réincarnation, encore moins à prouver son existence par A plus B. Un certain nombre d'auteurs des deux côtés de l'Atlantique ont déjà écrit des ouvrages sur le phénomène de la réincarnation et pesé le pour et le contre. Leur approche est extérieure, objective. Elle obéit aux critères de l'exploration scientifique. Ainsi par exemple celle du professeur Ian Stevenson de l'université de Virginie (U.S.A.) qui a effectué une série d'enquêtes extrêmement serrées sur des cas d'enfants présentant dans leur plus jeune âge des souvenirs spontanés de ce qui semble bien être des vies antérieures [1]. Je connais le professeur Stevenson. Je l'ai rencontré en janvier 1987 dans une station de sports d'hiver lors d'un colloque sur les frontières de la science [2]. Nous avons passé des heures à parler ensemble et j'ai eu grand plaisir à le faire. J'apprécie beaucoup l'homme, son caractère aimable et son esprit rigoureux. Mais mon problème avec lui comme avec tous les autres chercheurs qui mènent des investigations similaires aux siennes, c'est que je trouve leur démarche inappropriée au sujet. Je ne crois pas que l'on puisse « piéger » le phénomène de la réincarnation dans une évidence scientifique, ni qu'on puisse apporter la preuve de son existence (ou au contraire de son inexistence) à partir de la pensée cartésienne. Il n'y a pas d'objectivité possible dans ce domaine. On y croit ou on n'y croit pas mais on reste dans la croyance à partir du moment où on entend l'étudier « objectivement », c'est-à-dire de l'extérieur. Or qu'on le veuille ou non la croyance – quelle qu'elle soit d'ailleurs – influence le chercheur qui prétend étudier le phénomène. Le seul moyen, à mon sens, de sortir de la croyance est d'aborder la question de l'intérieur. C'est-à-dire que le chercheur expérimente lui-même la RÉALITÉ – car il va s'apercevoir que c'en est une – de certains états modifiés de conscience dans lesquels se produisent d'étranges réminiscences. A partir de cette approche personnelle, « expérientielle » pour reprendre les mots de Pierre Weil, docteur en psychologie et spécialiste de ces états modifiés de conscience [3], la recherche peut alors se développer. En commençant par l'analyse de ce qui se passe en soi pendant et après de telles expériences. Cela res-

1. *Vingt cas suggérant le phénomène de la réincarnation.* Sand.
2. Colloque de Puits-Saint-Vincent, France-Inter, Jean-Yves Casgha.
3. *L'homme sans frontières.* Pierre Weil. Espace Bleu.

semble-t-il à un phantasme? à un souvenir? à un rêve ou à quelque chose de différent encore? A la suite de cette expérience ma vision du monde a-t-elle changé? Mes relations avec les autres se sont-elles modifiées? etc.

J'ai longuement raconté dans *Nous sommes tous immortels* une séance que je fis en 1984, lors d'un voyage éclair à Chicago, avec Gregory Paxson. Cette fois-là, je retrouvai le souvenir de la vie d'une prêtresse celte, Govenka, qui avait vécu quatre mille ans plus tôt. Je racontai sa vie à l'écart du village, l'existence simple, dans une hutte, de celle qui servait de guide spirituel à tous ceux de sa tribu. Mais je ne me contentai pas de raconter. Au cours de cet extraordinaire « voyage », j'eus la sensation de faire en même temps qu'elle toutes les expériences de Govenka. Ce qu'elle vivait je le « vivais » aussi dans mon présent. Et pourtant, j'étais Patrick Drouot en 1984, à Chicago. De cela j'avais conscience mais en même temps j'étais là-bas, quatre mille ans plus tôt : je vivais littéralement deux époques à la fois. Et ce que je vivais à travers l'existence de cette prêtresse était proprement extraordinaire. J'accompagnai des mourants non seulement dans le passage difficile de la mort mais au-delà du monde physique. J'assistai à l'apparition dans une clairière d'un être de lumière. Cet être se nommait Veda. Il venait léguer à Govenka une partie de la connaissance du fond des âges oubliée par les hommes, notamment sur le cristal et les potentiels qui semblent être les siens de par sa structure même. Lorsque la clairière s'illumina devant Govenka; lorsque Veda apparut, je me sentis dans mon présent complètement paralysé, incapable de proférer le moindre son. Cet être était véritablement là. Ce n'était pas une image. Je ressentais sa présence et la fantastique énergie qui en émanait. J'ai écrit dans mon premier ouvrage que j'avais eu l'intuition – et plus tard la certitude – que cet être d'énergie m'avait communiqué à travers Govenka et en un temps très court – quelques secondes – une quantité fantastique d'informations : le contenu d'une bibliothèque entière. Par la suite, j'ai pu le vérifier et j'y reviendrai. Je voudrais seulement dire ici qu'à partir de cette expérience, le sens de ma recherche a changé. Parce que j'ai eu alors la certitude intime que Govenka et moi ne faisions qu'un, que nous étions la même entité, la même âme et que toute âme contient en elle toutes ses vies passées. Je ne me demandais pas si ce que j'avais expérimenté était réel. Je SAVAIS que ça l'était. Comme me le disait un jour Pierre Weil, qui est aussi un ami, tous ceux qui ont vécu ces états spéciaux d'éveil où la conscience transcende ses propres limites sont ainsi : ils n'ont plus besoin d'aucune preuve de la véracité de ce qu'ils ont vécu. Ils savent que cela est réel. A partir d'une telle expérience, la question de savoir si la réincarnation « existe » ou pas ne se pose plus. En tout cas certainement plus dans les mêmes termes, on va le voir. La seule, l'immense question qui demeure lorsqu'on a fait une fois l'expérience stupéfiante – et pourtant à la portée de tous – de franchir à la fois la barrière du temps et celle de son ego, c'est : qu'est-ce que la conscience? Quelles sont ses véritables possibilités et dans quelles piteuses limites l'avons-nous enfermée – et nous sommes-nous enfermés – depuis des siècles?

Mais les temps changent. L'ère du fantassin intellectuel est résolue. Les voies d'ouverture de la conscience humaine sont là, présentes et accessibles à tout le monde.

Vers la fin de la Seconde Guerre mondiale, le général Patton, héros du débarquement et grand stratège, fut invité pour son plus grand plaisir à visiter l'un des plus célèbres champ de bataille de la deuxième Guerre punique entre Rome et Carthage, au centre de l'Italie, près du fleuve Métaure. Il s'y rendit donc accompagné d'une flopée d'officiels et d'officiers. Était présent aussi un colonel historien réquisitionné pour faire revivre par le menu la bataille au général. Il s'acquittait fougueusement de son rôle, décrivant avec précision l'emplacement des troupes en présence et leurs mouvements respectifs : ici les légions romaines; là les éléphants d'Hannibal; ici encore la cavalerie d'Hasdrubal, frère d'Hannibal, accourue en renfort. Le général Patton qui, sourcils froncés, avait suivi avec une attention extrême les explications de son guide s'écria soudain : « Pas du tout! La cavalerie d'Hasdrubal n'était pas ici. Elle était là! » Il désignait naturellement un autre point du site. « C'est que, rétorqua le colonel historien avec tout le respect dont il était capable et un rien d'agacement, il existe sur cette bataille nombre d'écrits historiques qui tous s'accordent pour dire que la cavalerie d'Hasdrubal était bien placée là où je viens de vous l'indiquer, mon général. » « Eh bien, s'écria Patton avec force, moi je vous dit qu'elle n'était pas ici mais là! Je le sais. J'Y ÉTAIS! »

Ce n'était pas dit du tout sur le ton de la boutade et l'entourage resta sidéré. On a su plus tard – il l'a écrit dans ses Mémoires – que le général Patton croyait en la réincarnation. Que se passa-t-il ce jour-là en lui qui lui donna la certitude sans appel d'avoir été présent, à cet endroit précis, dix-huit siècles plus tôt?

Aldous Huxley, qui rapporta cette histoire lors du quatorzième congrès international de psychologie appliquée en 1961, voyait là, pour sa part, un cas typique d'accès spontané à ce qu'il appelait l'expérience visionnaire. Une expérience que fit aussi, et de façon plus spectaculaire encore, l'écrivain Raymond Abellio, alors qu'il se promenait en Algérie. Il la raconte dans un de ses livres [1].

« A Tipasa pourtant, dans les ruines du forum et du cimetière romains, il se passa un incident étrange dont le sens ne s'éclaira pour moi que bien plus tard. Mes camarades s'éloignaient déjà pour rejoindre notre car. Je restai seul, debout, immobile, au milieu des auges de pierre vidées de leurs morts, et comme étourdi par les exhalaisons suffocantes qui montaient de la cendre humaine mêlée à la terre. Derrière moi, la mer toute proche et sa profonde rumeur. Devant, cerclant les dalles brûlées, disjointes par l'herbe grasse, l'immense amphithéâtre des collines rousses et violettes du Tell. Et soudain le passé sembla s'emparer du présent avec violence. Pétrifié, je reconnaissais ce paysage, j'y retrouvais l'obscure mémoire de mes forces et de mes passions. Près de moi, des matelots phéniciens dormaient au creux des cordages lovés. Dans ce cirque de terre et de roc qui appelait la parole des tribuns, je voyais se lever et s'ordonner des légions, j'entendais retentir des ordres brefs qui figeaient le mouvement, obtenaient le silence. L'immense paysage s'emplissait de la présence immobile des hommes. Et moi-même, à ce moment, je m'avançais au-devant de cette multitude en armes, j'étais l'orateur investi de toute cette attention, de cette attente. La trompe du car m'éveilla au moment où j'allais parler... Je n'ai jamais étudié spécialement ce genre de paramnésies ni voulu en tirer des conclusions aventureuses sur de prétendues " vies antérieures " dont pourtant, en certains cas, l'énigme se pose. Du moins celle-là

1. Paru dans « Question de. » – La mort et ses destins. Éd. Albin Michel.

24

m'éclaira-t-elle sur mes besoins profonds de prestige, de puissance. »

Qu'est-ce que l'expérience visionnaire? Une trouée brusque dans le ciel de la conscience ordinaire; la vision fugitive, parfois rapide comme un simple clin d'œil, d'une autre réalité que celle que nous connaissons avec nos cinq sens. Les expériences d'Abellio et, dans une moindre mesure, du général Patton peuvent paraître spectaculaires. Pourtant tous, à des degrés divers, nous avons, à certains moments de notre existence, l'étrange sensation que notre conscience s'ouvre ainsi brusquement. Peut-être en cet instant avons-nous une vision, une idée, un flash qui s'avéreront par la suite prémonitoires ou clairvoyants. Ou nous sentons-nous en contact avec une personne vivante ou morte. Ou encore avons-nous, comme Abellio, la révélation d'une vie anté-rieure. Au sommet de ces brusques états d'ouverture, d'expansion de conscience, c'est tout un autre monde qui se révèle, un monde inaccessible à nos cinq sens et même à notre imagination, une autre réalité qu'expérimentent et dont nous parlent depuis toujours des sages, des saints, des poètes ou des artistes visionnaires. Un autre plan de conscience dont ils nous ont rapporté des descriptions très belles et que – j'ai pu le vérifier avec mon fils – nombre d'enfants semblent avoir la capacité de voir, de ressentir. Avant que notre système éducatif occidental, rationaliste et analytique ne finisse par étouffer totalement cette faculté en eux, en général vers l'âge de huit ans.

Pendant longtemps l'expérience visionnaire n'a pas été prise en ligne de compte par les psychologues et chercheurs en psychologie. Freud pour sa part y voyait une simple régression à la pensée magique de l'enfant. C'est Jung qui le premier a commencé à lui prêter attention et à l'intégrer comme un paramètre fondamental pour la compréhension de la psyché humaine. Mais c'est seulement dans les années soixante, juste après la mort de Jung, qu'une poignée de chercheurs – essentiellement, pour ce qu'on en sait, aux États-Unis – ont consenti à s'y intéresser et à se pencher en scientifiques sur les expériences dites mystiques mais aussi cosmiques, extatiques, océaniques ou transcendantales que partagent toutes les traditions religieuses. Expériences aux-quelles chacune a donné son propre nom : l'illumination, le nirvana, le satori, le samadhi, le septième ciel...

Suivant la méthode scientifique traditionnelle, ces chercheurs ont d'abord tenté d'étudier le phénomène de l'extérieur en posant des électrodes sur des yogis ou des moines en méditation et en enregistrant les modifications de leur rythme cérébral, cardiaque, de la température de leur corps, etc. Mais cette approche ne donnant pas de grands résultats, quelques-uns ont cherché à atteindre eux-mêmes ces états transcendantaux afin de les étudier de l'intérieur. Certains, comme l'ethnologue Carlos Castaneda, ont eu recours à l'initiation par un sorcier yaq ainsi qu'à l'ingestion de champignons hallucinogènes [1]. De son côté, Stanislas Grof, qui travaillait alors encore dans son pays natal, la Tchécoslovaquie, s'est servi de drogues psychédéliques : essentiellement de L.S.D. Si le recours à la chimie pour atteindre l'illumination s'est vite avéré inutile (il existe, on va le voir, nombre d'autres méthodes sans danger pour l'organisme qui permettent d'atteindre exactement les mêmes résultats), ces « satoris chimiques » ont eu au moins à leur époque un mérite : celui d'éclairer soudain toute une face cachée de la conscience aux yeux des scientifiques. Et de révéler dans le même temps à nos chercheurs ce qu'ils n'ont pas tardé à appeler les « états spéciaux d'éveil » ou « états d'expansion de conscience » ou encore – pour reprendre le terme d'un chercheur américain, Charles Tart, qui les avait pressentis en précurseur dès les années cinquante : les « états altérés de conscience » (altered states of conciousness). Pour ma part je préfère dire « états d'expansion de conscience ».

Précisément parce qu'ils sont différents de l'état de conscience ordinaire et qu'ils échappent aux règles cartésiennes qui régissent la conscience à l'état de veille, les états modifiés de conscience sont difficilement explicables à qui ne les a pas expérimentés. Comment « raconter » le goût du sucre à qui n'en a jamais goûté? Pierre Weil a toutefois tenté une classification de quelques points de repères qui permettent de les identifier.

C'est tout d'abord un profond sentiment d'unité avec tout le vivant. En état d'expansion de conscience, la personne ne sent pas son « moi » distinct du monde, comme elle le ressent habituellement. Elle se sent au contraire comme tissée dans la même étoffe que lui, distincte seulement comme l'est un

1. Voir les livres de Castaneda. N.R.F.

fil bien précis parmi les autres. Malgré tout le désir qu'elle a d'exprimer son expérience, celle-ci s'avère en général ineffable, intraduisible avec nos concepts et nos mots ordinaires si ce n'est par des métaphores : « C'était comme si j'étais devenu une vibration, une lumière, etc. » La réalité perçue dans ces états est étrangère à la réalité habituelle. Et pourtant elle paraît beaucoup plus intense que ce que l'on a coutume d'appeler le « réel ». La notion de temps disparaît totalement. Dans cet état quelques minutes paraissent durer des heures, tandis que passé, présent et futur se télescopent, se mettent insolemment à exister en même temps. Ces expériences s'accompagnent aussi parfois d'un sentiment de sacré ainsi que d'une soudaine absence de peur à l'idée de mourir, voire de phénomènes tels que l'audition de bruits ou de sons cosmiques, d'apparitions ou même – je vais y revenir – d'expériences de sortie hors du corps.

Ce qu'il faut bien comprendre, c'est que les états supérieurs de conscience ne sont pas seulement le lieu d'une expérience mystique. A côté – mais peut-être faudrait-il dire « à l'intérieur » – de cette expérience peut se produire toute une série de phénomènes tels que les phénomènes dits « psi » (avec un i, encore appelés parapsychologiques) : la vision à distance, la clairvoyance, les prémonitions, etc., ou encore LE RAPPEL A LA CONSCIENCE DES VIES ANTÉRIEURES. Toutes choses qui suggèrent que la conscience possède la possibilité de transcender les limites du temps, de l'espace et du moi, de transcender à la fois l'univers de l'ego et celui de nos cinq sens.

Ainsi la découverte des états modifiés de conscience a-t-elle profondément bouleversé la représentation classique que l'on se faisait de la psyché humaine. Elle a ajouté une troisième dimension, un troisième étage, à l'édifice de la conscience qui en comptait déjà deux : le conscient et – depuis Freud – l'inconscient ou subconscient. Cette troisième dimension de la conscience qui se manifeste lors des états modifiés de conscience a été appelée conscience supérieure. C'est autour d'elle que des chercheurs comme Abraham Maslow, Stanislas Grof, Aldous Huxley, Allan Watts, Arthur Koestler et Roberto Assagioli, père de la psychosynthèse, ont fondé le courant de la psychologie transpersonnelle.

La conscience supérieure semble être la partie la plus élevée et la plus sublime de l'être. Roberto Assagioli l'appelle aussi la superconscience. C'est, selon lui, la région de nous-mêmes d'où nous viennent nos inspirations philosophiques et artistiques. C'est aussi la source de notre éthique et de tous nos sentiments élevés et altruistes. Elle semble être également le siège de nos facultés psychiques extra-ordinaires. C'est elle enfin qui élargit notre vision jusqu'au point où nous nous percevons comme immuables et éternels.

Comment entrer en contact avec la conscience supérieure? Comment la canaliser? On l'a vu, il arrive qu'on y ait accès spontanément. Mais le plus souvent il faut avoir recours à des techniques. Nombre d'entre elles sont traditionnelles, utilisées depuis des millénaires, car de tout temps l'être humain a cherché à provoquer les états modifiés de conscience – même si on ne les appelait pas ainsi – qui permettent d'accéder à la conscience supérieure. Ce sont la méditation (zen, bouddhique, tibétaine, yogique, etc.), les koans, les histoires soufis, les danses derviches, les arts martiaux (tai chi chuan, aïkido, tir à l'arc...) mais aussi la pratique de la musique, du chant, de la danse ou d'un yoga postural.

D'autres techniques sont au contraire nées des dernières découvertes de la psychologie comme l'isolation sensorielle, l'autosuggestion (training autogène), le biofeedback ou l'hypnose. La liste est non exhaustive. Marylin Ferguson, dans son célèbre ouvrage sur *les Enfants du Verseau*[1] ne dénombrait pas moins de dix-sept psychotechniques (ou familles de psychotechniques) traditionnelles et récentes.

Contrairement à ce que l'on pourrait croire, le fait d'atteindre de tels états ne fait en rien déconnecter un être de sa vie de tous les jours. Au contraire, toute sa vie – et le monde environnant – prend un sens réel, tangible et intangible, permanent et impermanent, fini et infini. Car beaucoup d'êtres humains sont comme la vague qui courait pour voir la mer, oubliant qu'elle était elle-même la mer. Nous cherchons hors de nous ce que nous avons déjà en nous.

Canaliser sa conscience supérieure, entrer peu à peu en union avec la partie la plus élevée de soi-même s'apparente au processus qui fait de la chenille un papillon. C'est parti-

1. Calmann-Lévy.

culièrement vrai du rappel à la conscience des vies antérieures. Je pense avoir bien fait comprendre que la possibilité de retrouver nos vies passées n'est jamais qu'une partie du fabuleux potentiel auquel donne accès l'ouverture de conscience. Mais c'est une part prodigieuse.

J'ai fait jusqu'à aujourd'hui « voyager » plus de 1 500 personnes individuellement dans leur passé et j'ai constaté que la plupart d'entre elles ont vu l'orientation de leur vie radicalement changer après quelques séances. C'est que cette expérience offre une occasion d'être confronté à soi-même, nu et sans barrage, de voir l'essence de son être qui n'a, à mon sens aucun équivalent. Car la première chose – bouleversante – qui apparaît lorsque l'on retrouve le souvenir d'une vie antérieure c'est que celle-ci nous ressemble. Notre conscience supérieure ne nous emmène pas au cinéma voir des documentaires historiques. Le scénario de nos vies antérieures apparaît très intimement lié à notre personnalité, à notre structure psychologique et même – ce n'est pas la moindre des surprises – à notre constitution physique. De même que l'on retrouve dans ses souvenirs d'enfance des événements ou des circonstances qui ont contribué à forger tel ou tel trait psychologique en soi ou influencé son comportement; de même on retrouve dans les souvenirs des vies antérieures la clé de certains comportements, de certaines croyances, de ses goûts, de ses problèmes.

Un exemple pour aider à comprendre ceci : Il y a quelques années j'ai rencontré un ingénieur qui travaillait pour une importante société nationale. Il était sorti bardé de diplômes d'une grande école. Lui-même était un être intelligent, raffiné et d'une grande culture. Cependant, à quarante ans, alors qu'il aurait largement pu être à la tête d'un service, il n'occupait qu'un poste subalterne sous les ordres de supérieurs beaucoup moins qualifiés que lui. Il en souffrait mais chaque fois qu'on lui proposait un poste plus important, il refusait. A vrai dire en ces instants il sentait invariablement monter en lui une vague de panique accompagnée de sueurs froides, tachycardie, sensation de nœud au plexus, etc.

En l'espace de trois séances, cet homme ramena à la conscience une vie en Angleterre au XVIIIe siècle. Il y était directeur d'une fabrique. Or, un jour, le feu se déclara dans l'usine et se propagea à toute vitesse. Pris de panique, notre homme se montra incapable de faire procéder en bon ordre à l'évacuation des lieux par les employés. Par sa faute, une dizaine de personnes trouvèrent la mort et lui avec.

En revivant l'horrible désastre, l'ingénieur du présent réalisa soudain qu'il fuyait lui-même les responsabilités depuis ce traumatisme. Son inconscient raisonnait ainsi : « Si je prends des responsabilités, je vais mourir. » A partir du moment où il comprit ceci il fut libéré de ses craintes et put commencer à prendre les responsabilités qui convenaient à sa valeur et à son niveau personnels.

Voilà qui appelle de nombreux commentaires, à commencer par celui-ci : il y a là un processus qui – comme on l'aura sans doute remarqué – s'apparente de très près au processus psychanalytique. Oublions, en effet, quelques instants qu'il s'agissait du souvenir d'une vie antérieure, que reste-t-il ? Un souvenir – traumatisant – que le conscient a préféré oublier et a donc refoulé dans cet immense réservoir que l'on appelle l'inconscient – ou le subconscient – avant de refermer la porte de la mémoire, si l'on ose dire, à triple tour. Comme tout traumatisme « enterré vivant » celui-ci a protesté et « manifesté » en générant des troubles du comportement (ceci résumé de façon simple, voire simpliste). A partir du moment où on a fait remonter à la conscience – où on a libéré – le souvenir du traumatisme enfoui, les troubles du comportement ont cessé.

Il apparaît donc : premièrement, que les souvenirs de nos vies antérieures sont stockés dans notre subconscient au même titre que les souvenirs de notre vie présente. Deuxièmement que la conscience supérieure a accès au subconscient ; troisièmement que la plongée dans les vies antérieures, comme dans celles de souvenirs d'enfance enfouis dans le subconscient, a des vertus « psychothérapeutiques ».

C'est en découvrant cela qu'un certain nombre de chercheurs, de diverses origines et plus ou moins connus, tels que le psychiatre anglais Dennis Kelsey et son épouse, le médium Joan Grant, un autre thérapeute – anglais lui aussi –, Joe Scranton et, aux États-Unis, les Drs Morris Netherton, Edith Fioré et Ernie Pecci, pour ne citer que les principaux, ont mis sur pied une nouvelle forme de thérapie psychanalytique à travers les vies passées. Le Dr Ernie Pecci, psychiatre californien, a participé à la fondation, aux États-Unis, d'une association dont il a été l'un des premiers présidents : l'Association de Recherche et de Thérapie à travers les vies passées (A.P.R.T.) [1] qui s'efforce de développer cette thérapie, « l'un des outils thérapeutiques les plus efficaces qu'on connaisse », si l'on en croit ses adeptes de plus en plus nombreux.

C'est là un des aspects infiniment passionnants de l'exploration des vies antérieures. D'autant plus passionnant qu'il semble qu'il existe un lien étroit entre les traumatismes que nous avons subis dans nos vies passées et ceux de notre vie présente : de notre enfance mais aussi de notre vie fœtale. Les Drs Stanislas Grof et Morris Netherton – lequel est considéré comme l'un des pionniers de la recherche sur la thérapie à travers les vies passées – ont même démontré qu'il existe des liens puissants entre les traumatismes des vies passées et certains aspects particuliers du traumatisme de la naissance. J'ai moi-même pu observer, par exemple, que les gens qui sont nés avec le cordon ombilical entouré autour du cou rapportent souvent le souvenir d'une mort par pendaison ou strangulation lors de leur exploration des vies passées.

Je vais, bien entendu, revenir longuement sur ces aspects étonnants et tout à fait fondamentaux, mais je tiens à préciser tout de suite deux points. Tout d'abord – que le lecteur soit rassuré – tous les voyages dans le temps ne débouchent pas sur des vies traumatisantes! Il en est de gaies, d'heureuses, de pacifiques et celles-ci nous aident aussi à comprendre certains de nos traits de caractère – ou certains événements de notre vie présente – tout à fait heureux et positifs.

Ensuite – et c'est un point très important – si je ne nie certes pas la dimension thérapeutique de l'exploration des vies passées ni son intérêt, ma démarche est différente de celle des chercheurs de l'A.P.R.T. Je pense que l'utilisation des vies antérieures dans le cadre de thérapies psychologiques représente en soi un formidable bond en avant dans la compréhension de la psyché humaine et de sa complexité. Mais le cadre thérapeutique reste un cadre et il ne me semble pas qu'il faille y enfermer l'exploration des vies antérieures. Pour ma part, ma recherche a toujours porté fondamentalement sur l'essence même de l'être humain. Ce qui

1. Association for Past life Research and Therapy.

me paraît passionnant dans la découverte des vies passées c'est que l'on puisse, à travers elles, reconnaître ses propres blocages, repérer ses fausses croyances sur le monde et sur soi-même, dépister les attitudes fausses qui en découlent, en un mot marcher à la rencontre de soi-même, tendre vers la réalisation de cette unité dont toute la pensée orientale nous dit qu'elle est le but ultime de l'homme. Pour moi l'exploration des vies passées n'est pas seulement « psychologique »; elle est aussi et surtout spirituelle. Et c'est bien ainsi, comme une ouverture spirituelle, que ceux que j'ai pu accompagner dans leur voyage la vivent le plus souvent.

J'en veux pour preuve les réticences qui accompagnent généralement la découverte des premiers souvenirs. J'ai en effet souvent remarqué – aussi étrange que cela puisse paraître – que lorsque des souvenirs des vies passées profondément enfouis commencent à redonner signe de vie, la personnalité du présent a tendance à vouloir leur enfoncer de nouveau « la tête sous l'eau » même si son désir de comprendre est très fort. C'est que cette personnalité a son propre mode de fonctionnement, ses lois, ses buts et, d'une certaine façon aussi, son « train-train ». L'irruption soudaine d'un souvenir qui n'appartient pas à cette existence et avec lui d'une énergie transpersonnelle, fait figure d'arme à double tranchant. D'un côté, c'est vrai, ce brusque élargissement du champ de conscience produit une sensation tout à fait régénérante en même temps que le sentiment d'une transformation totalement bénéfique. Mais de l'autre – qu'on me pardonne l'expression – il fait un peu l'effet d'un chien dans un jeu de quilles.

Car désormais pour intégrer cette nouvelle information et l'énergie nouvelle qu'elle contient, c'est toute la personnalité qui va devoir se restructurer. Il va falloir maintenant dépasser de vieilles habitudes, faire face à des blocages psychologiques que l'on s'était jusqu'à présent refusé à voir, prendre aussi de nouvelles et plus vastes responsabilités. Au fond il ne s'agit de rien d'autre que de procéder à un début de réunification de l'être et de ses différents étages: conscient, inconscient et conscience supérieure. La perspective est belle mais elle induit toute une série de changements profonds devant lesquels la personnalité du présent renâcle quand ils ne lui apparaissent pas carrément douloureux. Car si tous, au départ de notre vie, à la naissance et dans notre petite enfance, nous avons manifesté à l'égard de la vie une attitude de confiance et d'ouverture totales, sans défenses, nous nous sommes tous aussi, peu ou prou, fermés par la suite. Parce que la vie est ainsi, que l'innocence se fait abuser, la sensibilité blesser, la spontanéité ridiculiser, nous avons commencé à émettre des réserves, des soupçons, à nous enfermer dans des cadres de pensée rigides, à résister à tout ce qui est nouveau. Nous avons, en somme, adopté la répression pour stratégie parce que c'est la plus simple et nous refusons de voir l'immense univers qui se déploie au plus profond de l'être humain et sa richesse.

Il est vrai que lorsque l'énergie de la conscience supérieure commence à se faire sentir le Moi rencontre une autre difficulté, commune à tous les états d'expansion de conscience : il doit faire face à une sensibilité soudain décuplée : sensibilité à la peine des êtres humains en général, mais aussi sensibilité à la musique triste qu'émettent les hommes ; à la vulgarité, à l'agression, à la haine...

De même lors des premières étapes de la réunification, la personne a-t-elle tendance à se sentir écrasée par le poids de sa propre insuffisance. Car elle découvre soudain les énergies puissantes, la beauté, la noblesse qui se trouvent au plus profond de chaque être humain. Et comme l'une de nos principales « mauvaises habitudes » est de nous comparer sans cesse à ce qui nous entoure, elle découvre, en comparaison ses propres insuffisances, ses limites. D'où il s'ensuit le plus souvent un pénible sentiment à la fois de culpabilité et de découragement.

Je me souviens d'Annette, une jeune femme, qui lors d'une régression et avant même de basculer dans le passé, eut soudain la vision merveilleuse d'êtres environnés de lumière. Il émanait d'eux une aura de confiance et de joie. « Ils sont beaux, s'écria-t-elle, et je suis laide ! Je suis morte et ils sont vivants ! Ils sont heureux et je suis triste ! » Ce n'est qu'après en réalisant qui étaient ces êtres spirituels et en dialoguant avec eux qu'elle cessa de se comparer à eux et, avec leur aide, finit par comprendre ce que nous devrions tous réaliser : nous ne sommes pas séparés les uns des autres. Toute séparation est une illusion. Ce qui est vrai, c'est l'unité profonde de tout ce qui vit.

La réaction d'Annette, loin d'être unique, est au contraire typique. Je l'ai rencontrée de multiples fois. Elle provient de notre incapacité fondamentale à réaliser que nous appartenons par essence au monde de nos visions les plus magnifiques. Nous ne nous autorisons généralement pas à croire que nous pouvons devenir ces êtres lumineux que nous avons aperçus fugitivement. Et nous nous obstinons à les considérer comme des apparitions hors de notre portée.

Mais la réaction inverse existe aussi. Elle consiste, dès les premières manifestations d'existence du monde supérieur, à croire que l'on a atteint « l'illumination » et que tous les problèmes sont désormais résolus. Certes, la partie la plus élevée de notre être, la conscience supérieure, vit dans une zone de liberté intemporelle au-delà de tout problème et de tout sentiment de division intérieure. De là à croire qu'il va désormais en être de même dans la réalité quotidienne, il y a un grand pas. Ce qui est vrai à un niveau de conscience ne l'est pas forcément à l'autre. Il importe de distinguer entre les deux. Faute de quoi, la personne, victime de son illusion, risque de s'exalter de façon aussi fausse que vaine.

Il faut aussi prendre garde au fait qu'un grand flux d'images, d'idées, de perceptions et de connexions nouvelles peut donner l'impression d'avoir soudain « tout compris ». Clarté généralement illusoire ; la clarté authentique ne vient qu'ensuite. Souvenons-nous de Blaise Pascal : « Qui veut faire l'ange fait la bête ! »

Après une expérience très intense, les personnes à tendance mystique peuvent éprouver des difficultés à réintégrer le monde prosaïque de la réalité quotidienne. A côté de l'illumination qu'elles viennent de connaître (parfois accompagnée de révélations) la réalité extérieure leur apparaît soudain plus que pâle, étrangère. Elles ne comprennent plus alors pourquoi elles doivent affronter de nouveau ce monde où elles se sentent prisonnières et pour lequel elles n'éprouvent plus en cet instant que répulsion. « Mélancolie divine pour la patrie perdue » relayée par une incapacité à fonctionner au niveau pratique : au fond, on retrouve le mythe d'Icare. Icare qui se fabriqua des ailes de cire pour voler le plus haut possible et qui vola si haut que la chaleur du soleil fit fondre ses ailes et qu'il fut précipité dans la mer.

J'appellerais volontiers « complexe d'Icare mystique » cette tendance qu'ont certains à manifester une grande ambition spirituelle sans accepter de prendre en compte leurs limites. C'est s'exposer à toutes sortes de désillusions. Car celui qui cherche à explorer les régions supérieures de la conscience doit d'abord se construire des fondations personnelles solides.

J'ai rencontré, à l'inverse, des êtres qui recevaient en telle abondance et avec une telle intensité les flots d'énergie de la conscience supérieure que l'expérience en devenait presque pesante.

« Assez d'illumination ! » s'écriaient-ils.

On retiendra de tout cela que sur le chemin de l'évolution personnelle, comme sur tout autre chemin de la vie, on rencontre des obstacles, des difficultés, des dangers et l'occasion de faire des erreurs !

Voilà qui ne devrait pas être de taille à nous en détourner, car ce chemin est celui de notre développement naturel. Nous pouvons faire le choix d'ignorer les potentialités qui sommeillent au plus profond de nous. Mais nous avons aussi la possibilité de tenter cette aventure pleine de risques, de beauté et de mystère qui consiste à les amener à la conscience. Il n'est pas plus difficile d'escalader les hauteurs qui mènent aux états supérieurs de conscience que de grimper sur une haute montagne. Il faut avoir l'équipement nécessaire et aussi connaître et respecter son propre rythme et ses possibilités.

Notre existence est cyclique et, comme les vagues issues de l'océan, les vies et les morts se suivent. En ce moment, incarnés sur cette terre, nous bénéficions de l'embarcation idéale, un corps humain, pour nous conduire jusqu'à cette île merveilleuse qu'est l'éveil complet, la plus haute réalisation possible pour un être humain. Il serait vraiment tragique de ne pas en profiter et de gaspiller cette vie en s'impliquant dans des futilités. Il nous faut au contraire faire surgir le sens profond de notre vie présente. L'exploration des vies antérieures est un des moyens pour y parvenir, un des chemins qui permet de marcher vers cet état d'éveil où tout est Un, où toutes les facettes de la conscience se trouvent rassemblées, « positivées », pacifiées dans la Sagesse et la Compassion. Il est d'autres chemins qui y mènent. Celui-ci est beau, fabuleux, extraordinaire : c'est ce que je veux expliquer ici.

Chapitre 2

LE VOYAGE DANS LES VIES PASSÉES :
TECHNIQUES ET MÉTHODES

Il existe un vaste spectre de techniques conçues pour faciliter l'expansion de la conscience. Pour faire faire le voyage dans les vies passées j'utilise pour ma part depuis des années une technique que j'ai mise au point et qui fait appel à la fois à la relaxation et à l'imagerie guidée. J'y ai adjoint par la suite différentes musiques qui ressemblent un peu aux musiques « planantes » mais qui ont une particularité : leur rythme cyclique correspond au rythme des ondes cérébrales alpha, celles du cerveau pendant la méditation et aussi certaines phases du sommeil. Elles ont pour effet de plonger l'individu dans un état de calme et de paix intérieur. Elles ont aussi le pouvoir de réveiller et d'activer les énergies généralement endormies dans l'être humain.

L'ensemble de cette technique a pour but d'endormir la conscience ordinaire, le mental. Entendons-nous bien : il ne s'agit pas d'endormir la personne mais de mettre en veilleuse son esprit conscient qui, dans l'état d'éveil, occupe tout le champ de la conscience. Ainsi, libérée du présent, une partie de la conscience peut-elle partir explorer le temps. Au début, seule une toute petite partie (5 à 10%) parvient à se libérer, puis au fur et à mesure des séances, on apprend à mettre son mental en veilleuse et c'est jusqu'à 80% de la conscience qui se libère.

Il me semble important de préciser d'emblée que tout ceci n'a rien à voir avec l'hypnose. J'ai étudié l'hypnose. Je l'ai pratiquée au début de ma recherche. Je lui préfère définitivement les techniques empruntées aux traditions orientales qui laissent la personne consciente, libre, maîtresse d'elle-même et lui permettent de pénétrer dans un champ de conscience beaucoup plus vaste.

Une séance classique se déroule de la manière suivante [1]. En premier lieu j'interviewe la personne. Qu'attend-elle de cette expérience? Pourquoi veut-elle faire ce travail? A-t-elle quelque chose à comprendre? un problème précis à résoudre? L'interview est très importante car, au-delà des mots, on peut «entendre» tout ce que la personne communique inconsciemment. Ainsi un certain nombre de gens viennent-ils me voir en alléguant: «Ce qui m'intéresse, c'est mon cheminement spirituel.» Mais il suffit de parler un petit peu avec eux pour s'apercevoir qu'au fond d'eux-mêmes se dissimule tant bien que mal une détresse toute humaine. De même, souvent, avec ceux qui affirment venir «pour l'expérience» et n'avoir «aucun problème»: on sent poindre l'anxiété de qui a précisément un problème à résoudre.

Donc l'interview permet de bien cibler la demande de chacun et d'aider chaque personne au mieux. Une fois qu'elle est faite, j'installe la personne confortablement sur un divan. Il est important qu'elle se sente parfaitement à l'aise, sans rien qui l'enserre ou la gêne, sinon elle ne parviendra pas à se relaxer entièrement. En revanche, si elle a envie de bouger pendant la séance elle peut le faire: cela ne perturbe en rien le déroulement des opérations.

Je mets ensuite en place les deux casques hi-fi et les deux micros à travers lesquels nous allons communiquer tout au long de la séance. Pourquoi cet intermédiaire? Pour une double raison: en état d'expansion de conscience on a tendance à chuchoter (et encore, parfois très faiblement) plus qu'à parler. Un micro-cravate hypersensible n'est pas de trop pour que je puisse bien saisir toutes les paroles de mon «voyageur». En ce qui me concerne, ma voix sera plus persuasive, plus apte à plonger l'autre dans un état de relaxation si elle lui parvient légèrement amplifiée par une chambre d'écho et par le même canal que la musique. Enfin ce système offre l'avantage de nous isoler parfaitement des bruits extérieurs.

Nous sommes dans la pénombre, éclairés par la seule

1. Que les lecteurs de *Nous sommes tous immortels* à qui j'ai déjà exposé ceci veuillent bien me pardonner certaines redites nécessaires.

lueur vacillante d'une bougie. Le sujet ferme les yeux. Ma voix va maintenant le guider à travers les étapes de la relaxation. « Nous allons, lui dis-je, et vous et moi, relaxer, endormir la partie physique de votre être. Car, lorsque le corps physique est calme, détendu, endormi, l'esprit a accès à d'autres vérités, à d'autres réalités. »

Nous entrons alors dans la première étape – importante – de la relaxation : la respiration. D'habitude je demande simplement aux gens de faire de longues et profondes respirations, mais il m'arrive aussi d'utiliser une technique de respiration très forte avec rétention momentanée du souffle qui a pour effet de mettre la personne en hyperventilation ou suroxygénation. D'une part cela permet d'abaisser les barrières du mental; d'autre part il arrive que lors d'une hyperventilation le corps se mette à ressentir des douleurs ou des gênes diffuses. C'est qu'il réagit avant même la conscience et commence à exprimer un certain nombre de mémoires jusque-là verrouillées. Car le corps possède sa propre mémoire des événements passés. J'expliquerai plus loin ce phénomène étonnant.

La phase de respiration dure entre cinq et dix minutes (avec moi; d'autres opérateurs la prolongent). Il existe d'autres méthodes respiratoires pour accéder à l'ouverture de conscience. Lors de mes séminaires – plus qu'en individuel – j'utilise assez souvent la technique des mandalas sonores couplés à la respiration. Un mandala sonore est tout simplement un son répété. On laisse le son sortir de sa gorge sans y participer. Consciemment et graduellement celui-ci devient de plus en plus fort. Les participants se concentrent sur leur respiration en maintenant un rythme plus profond et plus rapide que dans une respiration normale. Au bout d'un certain temps des tensions corporelles se libèrent et avec elles certaines émotions. On peut alors passer à une introspection plus profonde et transcender les limites temporelles.

C'est évidemment en Inde que les exercices de respiration ont été le plus systématiquement développés à travers le Pranayama, le troisième stade du yoga. Mais on en trouve aussi trace dans la tradition occidentale, chez certains mystiques et plus particulièrement dans l'Église Grecque Orientale. Il est intéressant de noter que tous ces exercices respiratoires ont en commun de conduire à une suspension prolongée du souffle ou apnée. Or on sait aujourd'hui que l'apnée a pour effet d'augmenter le taux de gaz carbonique dans le sang et qu'une forte concentration de gaz carbonique produit dans le cerveau – et dans l'esprit – des phénomènes tout à fait étonnants. Ainsi constate-t-on que de façon empirique, sans en connaître les fondements scientifiques, toutes les traditions religieuses du passé ont utilisé des méthodes visant à modifier la chimie du corps pour faciliter ce type d'expériences.

La phase de respiration terminée, j'envoie la musique destinée à aider la personne à entrer en relaxation. Pour parvenir à cet état méditatif de calme et de paix j'utilise, là encore, différentes techniques. En voici une :
« Et maintenant, dis-je, vous êtes calme, vous êtes tranquille. Et là, derrière vos yeux clos, je voudrais que vous pensiez, que vous imaginiez une plage, un soir d'été. Créez-la cette plage, pensez-la, imaginez-la. C'est peut-être une plage que vous connaissez, à moins que votre âme ne la tisse avec les fils du rêve. Le soleil est déjà bas sur l'horizon, mais il fait encore chaud. Sentez cela, créez cela. Et le sable, sous la lumière du soleil, est presque blanc. Imaginez-vous : Vous marchez là, sur cette plage, vêtu d'un vêtement ample, blanc, dans lequel vous vous sentez bien. Ressentez, sous vos pieds, le sable humide. Sentez, percevez, ressentez l'odeur saline dans l'air. Vous pouvez aussi entendre le chant des vagues de la mer, ce chant qui a bercé le genre humain depuis des millénaires. »
Je peux mettre à ce moment-là un bruitage de mer couplé à une musique. Ma voix, quant à elle, est calme, tranquille. Je poursuis : « Il n'y a personne sur cette plage. C'est une plage déserte un soir d'été. La mer est un miroir d'argent qui reflète les derniers rayons du soleil, une masse de pure lumière blanche. Alors trouvez-vous une place dans le sable, là, et allongez ce corps. Allongez-le là et permettez-lui de se relaxer, de s'endormir. » Doucement, nous commençons alors à relaxer le corps, en commençant par les pieds : « Derrière vos yeux clos, je voudrais que vous sentiez, que vous perceviez une sensation de calme, de paix, une merveilleuse énergie de tranquillité qui entre dans vos deux pieds en même temps. Et vos deux pieds se relaxent et s'endor-

39

ment...» Nous endormons ainsi les jambes, les cuisses, la taille, etc., tout l'ensemble du corps jusqu'à la tête, la mâchoire et la gorge. Mais sans arrêt, je rappelle à la personne qu'elle est là, allongée sur le sable d'une plage un soir d'été. Sa tête repose là, dans le sable. Lorsque le corps est tout entier relaxé, je peux continuer encore un peu pour approfondir la relaxation et par exemple demander à la personne de voir le soleil descendre peu à peu et l'horizon changer lentement de couleur et je conclus :

« Et comme le soleil disparaît sous l'horizon, vous sentez toujours cette tiédeur autour de vous. Et vous percevez, là, derrière vos yeux clos, le bleu maintenant profond du ciel. C'est un ciel étoilé. Un ciel infini, éternel. Et vous percevez toujours le chant des vagues, le goût du sel, le ciel, la mer. Et vous laissez simplement votre esprit, peu à peu, s'ouvrir encore. »

Le lecteur n'aura pas manqué de remarquer que je me répète beaucoup. Ceci est volontaire. Comme est volontaire ce style « enroulé » où chaque phrase est reliée à la précédente par des « alors », « et puis », « et ». Il s'agit, là encore, d'une technique, héritée celle-ci de la programmation neurolinguistique, qui permet de percer la barrière du mental pour atteindre le subconscient de la personne.

Je précise que ce n'est pas moi qui relaxe la personne allongée sur le divan. C'est elle-même qui se détend, soutenue par ma voix et les indications que je lui donne. J'ai d'ailleurs coutume de dire qu'en cet instant, et à partir de ce moment-là, ce n'est plus à cette personne précise que je m'adresse mais à un être immortel et multidimensionnel, à un « enfant de l'univers » qui occupe – le temps de cette vie – cette enveloppe de chair. C'est à lui que je demande, pendant les quinze minutes environ que va durer la relaxation, d'apaiser et de détendre ce corps physique.

De mon côté, tout en parlant, je laisse aussi ma conscience s'ouvrir à la dimension spirituelle vers laquelle nous nous dirigeons tous les deux. C'est-à-dire que je me place moi aussi dans un état spécial d'éveil. Ceci est absolument nécessaire pour que je puisse dialoguer avec la personne. Si je lui posais des questions avec mon mental ordinaire, elle aurait l'impression de parler à quelqu'un qui ne comprend rien.

A ce stade, j'ai souvent noté (d'autres opérateurs l'ont

constaté aussi) que je commençais à recevoir des informations sur la personne sous forme de pensées, d'images fugitives, de visions. Comme si nous étions installés désormais dans une harmonie vibratoire favorisant l'échange d'informations subtiles entre nous. De leur côté, mes « voyageurs » m'ont en effet souvent dit qu'ils s'étaient mis en cet instant à ressentir l'état de conscience dans lequel je me trouvais. Cette communication subtile va nous être, à tous les deux, d'une aide précieuse durant tout le voyage.

Il est une autre chose que j'ai souvent remarquée à ce moment-là, c'est que les gens sont beaucoup plus beaux que lorsqu'ils sont entrés! Leur visage est non seulement calme et détendu mais comme éclairé d'une lumière nouvelle. J'y vois le reflet de cette lumière intérieure qui brûle au fond de nous sans que nous en ayons – le plus souvent – conscience. C'est aussi qu'en cet instant la personne allongée là n'a plus à prouver quoi que ce soit: elle n'a plus de rôle à tenir, d'image d'elle-même à donner. Le masque social, le manteau des conventions tombent. Elle se montre telle qu'elle est, avec sa part de lumière mais prête aussi à révéler cette part d'ombre dont nous parle Jung et qu'il va falloir intégrer au Moi. Un véritable travail d'alchimie spirituelle que cette réconciliation des deux parts de soi. L'ouverture de conscience et le voyage dans le monde de l'esprit permettent cette alchimie où l'être retrouve son unité.

Il m'arrive assez fréquemment d'utiliser pour la relaxation une autre technique connue sous le nom de « visualisation du corps creux ». Elle est issue du deuxième cycle de méditation sur le feu intérieur des Tibétains et les lamas médecins s'en servent comme outil thérapeutique. Je l'ai adaptée au travail que je fais. Donc, après la phase de respiration, la personne étant, bien sûr, toujours allongée, je lui dis:

« Là, derrière vos yeux clos, imaginez, percevez, ressentez de la lumière qui entre dans les doigts de pieds puis dans les pieds. Et tout ce qui se trouve sous la peau des pieds, la chair, les muscles, le sang, les os, disparaît peu à peu et se trouve remplacé par de la lumière blanche. Et puis cette lumière blanche monte lentement le long des jambes jusqu'aux genoux. Et tout ce qui se trouve sous la peau des jambes jusqu'aux genoux, la chair, les muscles, le sang, les os, est remplacé par de la lumière blanche. »

Et ainsi de suite avec les différentes parties du corps jusqu'à ce que celui-ci tout entier ne soit plus constitué que de lumière blanche sous la coquille de la peau. Ensuite je demande à la personne d'imaginer que sa peau à son tour devient claire et transparente comme un arc-en-ciel, devient elle aussi immatérielle : Il ne reste plus maintenant que de la lumière blanche ayant la forme d'un corps et dont l'esprit lentement se libère.

Que j'aie fait usage de l'une ou l'autre technique, la relaxation est alors terminée. Le corps de la personne est calme et détendu; son mental en veilleuse (il demeure plus ou moins actif selon chacun. Pour parachever le processus et avant d'entrer dans la phase suivante, j'entame un décompte de vingt à un :

« A chaque chiffre, vous allez permettre à la partie physique de votre être de descendre encore plus profondément dans cet univers de calme et de paix. »

Ce décompte est important car plus le corps s'enfonce dans la relaxation plus l'esprit, lui, se libère et pénètre peu à peu dans un champ de conscience de plus en plus vaste.

Je demande maintenant au sujet de visualiser une boule de lumière bleue flottant au-dessus de sa tête. Elle descend lentement vers lui et lorsqu'elle le touche, elle étend ses rayons protecteurs tout autour de lui jusqu'à l'envelopper entièrement. Cette lumière bleue va lui servir de protection spirituelle durant tout le voyage. J'ai expliqué dans *Nous sommes tous immortels* que cette protection spirituelle est nécessaire dès que l'on entreprend un voyage hors de l'univers de nos cinq sens, qu'il s'agisse d'un exercice de méditation profonde, d'un voyage dans les vies passées ou d'une sortie hors du corps. Depuis, on m'a souvent demandé pourquoi j'utilisais de la lumière bleue et non pas blanche par exemple ou de toute autre couleur. Sans trop entrer dans les détails, je dirai que la raison en est double.

Tout d'abord, c'est lors de mon voyage dans le temps auprès de Govenka, en 1984, que j'ai reçu de Veda le conseil d'utiliser une balle de lumière bleu nuit à la fois comme protection spirituelle et – comme on va le voir tout de suite – lors de la plongée dans le tunnel temporel. Je l'ai donc utilisée au départ sans savoir pourquoi mais en constatant que, munies de cette protection, les personnes « basculaient » beaucoup plus facilement dans les états spéciaux d'éveil.

Un an plus tard, à Chicago, en écoutant l'enseignement de Kriyananda, j'entendis parler pour la première fois des Tattvas. Tous ceux qui se sont engagés dans la voix de l'ouverture spirituelle savent qu'il existe dans l'être humain sept centres d'énergie vitale, sept soleils appelés chakras, ce qui signifie « roue » en sanscrit. Ces chakras sont disposés le long de la colonne vertébrale du bas de celle-ci jusqu'au sommet du crâne. Chacun d'entre eux joue son propre rôle, fondamental, dans la structure énergétique de l'être humain. Les yogis enseignent que ces sept chakras sont activés par cinq tattvas dont le premier est situé au bas de la colonne vertébrale, comme le premier chakra; le second en dessous du nombril, comme le deuxième chakra et de même que le troisième au plexus, le quatrième au centre de la poitrine et le cinquième à la gorge. Pourquoi cinq tattvas seulement alors qu'il y a sept chakras? Parce que précisent ces mêmes courants yogis, nous sommes la cinquième « race-mère », la cinquième race humaine depuis les origines de l'humanité. Avec l'avènement de l'ère du Verseau le sixième tattva est en train de descendre les plans de conscience et va activer le sixième chakra qui correspond au troisième œil et à un changement de conscience pour l'humanité.

Or, nous expliqua Kriyananda, chaque tattva a son symbole très précis : le premier, un carré jaune; le deuxième, une demi-lune d'un blanc laiteux; le troisième, un triangle rouge; le quatrième, une sphère incolore et le cinquième, celui de la gorge, un cercle de lumière bleu nuit.

Voilà que je trouvais finalement l'explication de la protection spirituelle donnée par Veda, puisque c'est elle qui correspond à notre stade actuel d'évolution spirituelle. Je pense, d'ailleurs, avec le recul des années, qu'il ne s'agit pas seulement d'une protection spirituelle. Cette balle de lumière bleue est aussi, à mon sens, une sphère temporelle. Je veux dire par là que tandis que l'esprit entreprend son voyage dans le temps, c'est elle qui maintient, en quelque sorte, le corps et la structure énergétique de la personne dans le présent.

Il va de soi que je ne développe pas toutes ces notions durant la séance. Je me contente en général d'invoquer une « protection spirituelle ». Lorsque le terme effarouche à l'avance (« si on me protège, c'est que c'est dangereux ») ou dérange, je fais alors allusion à un voile protecteur. Il enveloppe délicatement toute la personne et rend plus profonds encore le calme et la paix qu'elle ressent déjà.

Dernière précision : lorsque je demande de « visualiser » la balle de lumière bleu nuit, cela ne signifie pas qu'il faut s'en faire une image précise. Au début, beaucoup de gens se découragent parce que, disent-ils, ils ne parviennent pas à « voir ». Mais visualiser n'est pas forcément voir. Ce peut être ressentir.

C'est ce que j'essaie de faire comprendre lorsque, pendant la relaxation, par exemple, je demande non pas de visualiser mais de « penser », « d'imaginer », de « ressentir » et surtout de « créer ». Car nos yeux spirituels n'ont rien à voir avec nos yeux physiques. Et dans cette autre dimension qu'est le monde de l'esprit, penser quelque chose c'est le faire exister.

Outre cette balle de lumière, j'appelle aussi sur la personne qui s'apprête maintenant à voyager vers son passé la protection d'un guide spirituel. Ou plus exactement de son ange gardien. Le terme peut faire sourire (c'est pourquoi selon ce que je sais ou pressens des croyances de chacun, j'invoque cette protection à haute voix ou en pensée seulement) mais je crois profondément qu'au-delà de l'imagerie chrétienne – qui les a pourvus d'ailes! – nous avons tous, effectivement, à nos côtés un guide invisible, frère de l'au-delà attaché à nos pas qui, du monde lumineux où il se trouve, veille sur notre évolution.

La personne est maintenant prête à plonger dans son passé, même le plus lointain. Il lui est entièrement ouvert. Car, aussi invraisemblable que cela puisse paraître nous n'oublions rien. Le subconscient se souvient de tout. Comme je le dis alors : « Dans les banques mémorielles de votre subconscient est enregistré tout ce qui vous est arrivé depuis le moment de votre naissance et bien au-delà, dans votre vie fœtale et dans toutes vos vies passées. Chaque pensée, chaque événement, chaque action est enregistré dans ces banques. »

Il ne s'agit pourtant pas de voyager à l'aveuglette dans sa mémoire en ressuscitant au hasard des séquences du passé. On se souvient que durant l'entretien préalable nous nous sommes efforcés en commun de mettre à jour la demande profonde de la personne. Peut-être l'un a-t-il avoué des problèmes de communication insolubles avec autrui; l'autre une attraction violente et incompréhensible pour quelqu'un (ou un lieu, une civilisation, un animal, etc.) ou au contraire une aversion, a priori injustifiée. Un autre encore peut s'être plaint d'une conduite d'échec indéfiniment répétée.

Quel que soit le cas de figure, la demande est toujours la même : « Pourquoi ? » Or la réponse à cette question gît dans le passé, dans un événement précis du passé enfoui plus ou moins profondément dans la mémoire. Et c'est vers lui que je demande alors à la conscience de se diriger. J'ignore de quoi il s'agit. Le principal intéressé n'en sait pas plus que moi. C'est du fond de sa mémoire, comme une bulle d'air remontant lentement du fond de l'océan pour venir crever la surface, que le souvenir va surgir peu à peu. Nous allons le découvrir ensemble.

A ce stade, un certain nombre de personnes qui ont appris à laisser tomber les barrières du mental commencent déjà à ressentir des impressions, des émotions et « partent » vers une séquence du passé. En ce cas je démarre immédiatement le travail et commence à poser les questions rituelles : « Où êtes-vous ? » « Que se passe-t-il ? » « Êtes-vous seul(e) » etc. Mais dans la majorité des cas un véhicule, si j'ose dire, s'avère nécessaire pour emmener les gens vers leur passé. Il s'agit, bien entendu là encore, de techniques. Les plus utilisés sont les tunnels temporels et les machines temporelles. Certains préfèrent se servir de guides. Le Dr Pecci, psychiatre californien déjà cité et premier président de l'A.P.R.T. demande pour sa part à ses patients de visualiser un guide auréolé de lumière blanche qui va les accompagner vers leur passé.

Généralement, je m'en tiens à la technique du tunnel temporel. Elle consiste à visualiser un tunnel reliant le présent au passé. « Et là, dis-je, derrière vos yeux clos, je voudrais que vous pensiez, que vous imaginiez, un cercle de lumière bleu nuit. Ce cercle est le symbole de votre propre mémoire temporelle. Derrière ce cercle, il y a un tunnel, un canal temporel. Dans quelques instants je vais compter de cinq à un. A " cinq " vous allez entrer dans le tunnel. A " Un " vous en sortirez. Et vous laisserez simplement les choses se faire ».

On remarque que je fais une fois encore appel au cercle de lumière bleu nuit lié au cinquième chakra. Ainsi en projetant la personne à travers ce cercle, c'est à travers sa propre mémoire universelle que je la projette symboliquement.

Dès que la personne est entrée dans le tunnel, je l'invite à se sentir partir en tournoyant : elle est saisie par un mouvement qui s'accélère au fur et à mesure du décompte. Je parle vite, pour ma part, et mon débit suit le même mouvement d'accélération. A trois, je lui demande d'apercevoir une lumière blanche au bout du tunnel. Elle s'en rapproche à toute vitesse. A deux, cette lumière blanche l'enveloppe totalement. A un, la personne sort du tunnel, dans son enveloppe de lumière. Et je reprends mon souffle et ma voix son rythme normal. Le calme soudain se fait. Le voyageur est arrivé. Dans un autre temps. Un autre lieu. Une vie antérieure, mais on peut aussi, avec les mêmes techniques faire régresser vers la petite enfance ou même la vie fœtale si on le désire. J'y reviendrai. Quoi qu'il en soit, l'événement du passé que la personne est venue retrouver et qu'elle ne connaît pas encore, est là, tout proche, prêt à affleurer sa conscience. Mais pour savoir de quoi il s'agit : en quel lieu et en quel temps il se situe, il va falloir recomposer la scène point par point, un peu comme se fabrique une image d'ordinateur ou même une tapisserie. Souvenez-vous : visualiser n'est pas voir. D'autre part, comme je l'ai dit plus haut, au début, c'est-à-dire lors de la première séance, c'est seulement 5 à 20 % de la conscience qui échappe au présent et parvient à capter le passé. D'où l'impression qu'ont certains, ainsi qu'ils le disent eux-mêmes, de « ne pas décoller », d'être « toujours là », « pas parti », etc., avec toute la déception que cela comporte. D'où aussi l'habitude que j'ai prise de demander aux gens de faire au moins trois séances. Il n'en reste pas moins vrai que l'on peut parfaitement revivre des événements du passé tout en restant conscient du présent puisque le champ de conscience s'est élargi.

Pour commencer à reconstituer la scène, dès la sortie du tunnel je demande à la personne de me décrire ses pieds. Sont-ils nus ? chaussés ? de quoi ? Et son corps ? Peut-elle enserrer mentalement son torse de ses bras et me dire s'il est gros ? maigre ? si ce buste est celui d'un homme ? d'une femme ? Peut-elle promener ses mains sur ses cheveux et me dire s'ils sont frisés? lisses? courts? longs? Je lui demande aussi de serrer mentalement ses paumes l'une contre l'autre aussi fort que possible. J'ai remarqué que cela permettait à la conscience d'entrer plus avant dans ce corps, cette autre réalité du passé.

Après le visage et le corps, nous passons aux vêtements et aux ornements (colliers, bagues, bracelets, etc.) qui se montrent souvent de précieux indices pour déterminer l'époque dans laquelle nous nous situons. Tout comme l'examen des mains permet de connaître l'âge approximatif de la personne. Mais l'âge est une chose qui « remonte » en général assez facilement.

Et les réponses se font de plus en plus précises comme si, ai-je coutume de dire, à chaque détail un peu plus de la conscience du sujet quittait le présent pour le passé.

De la personne elle-même nous passons au décor. Sommes-nous dedans? dehors? La personne est-elle debout? couchée? assise? Sur quoi? etc. Est-elle seule? Non? Comment ressent-elle les gens qui l'entourent? Voilà maintenant que les réponses se chargent d'émotion. C'est le signe que nous pénétrons vraiment dans la mémoire de l'inconscient. En général, c'est à ce moment-là que l'événement que nous étions venus chercher commence à émerger.

Il arrive toutefois que la scène dépeinte par la personne ne semble pas présenter grand intérêt. Rien ne s'y passe, en tout cas rien de fondamental ou qui paraisse lié au problème posé. En fait ce lien existe : soit l'événement recherché se situe dans la même incarnation et on le retrouve alors facilement en demandant à la conscience supérieure du sujet de se déplacer dans le temps et d'aller vers « l'événement le plus important de cette incarnation »; soit cet événement a eu lieu dans une autre incarnation et j'utilise alors une technique pour faire basculer l'inconscient dans cette autre vie, au moment propice. C'est ce que l'on voit dans l'exemple suivant qui va permettre aussi de mieux saisir « en pratique » comment se produit le rappel à la conscience des souvenirs du passé.

Au printemps 1987, Jacques, un homme d'affaires aux activités internationales, vint me voir. C'était un homme bien centré, pragmatique. Il m'expliqua que, certes, les vies passées l'intéressaient mais qu'il souhaitait surtout faire l'expérience de l'ouverture de conscience, car elle lui apparaissait comme un outil de développement personnel apte à élargir sa vision de lui-même et du monde et – partant – à affiner sa perception du monde des affaires. Incidemment, au cours de la discussion, il aborda aussi un problème qui, dit-il, le gênait considérablement : depuis quatre ans, il « attrapait » régulièrement (six à huit fois par an) des torticolis parfois extrêmement douloureux. Bien entendu, il avait eu recours à des traitements médicaux mais sans grand effet. Il avait rencontré aussi des kinésithérapeutes et des acupuncteurs qui n'avaient pas non plus réussi à le soulager. Il voyageait beaucoup et ses douleurs le prenaient malheureusement souvent lors de ses déplacements professionnels. J'imaginais volontiers qu'arriver à Tokyo pour un congrès le cou bloqué n'était pas très drôle.

Je lui proposai donc de voir tout de suite, pour sa première séance, si la cause de son problème physique gisait dans son passé « antérieur ». « Pourquoi pas ? » me répondit Jacques avec un sourire en coin. Je procédai donc aux différentes étapes de la relaxation. Jacques, qui pratiquait la méditation zen, s'avéra un très bon sujet et « partit » très vite. Pour se retrouver au bout du tunnel temporel... quelques années plus tôt !

– Ce sont mes vacances, me dit-il.

– Cela ne fait rien. Dites-moi où vous vous trouvez, lui répondis-je.

– Je suis dans un petit bourg en Allemagne. Sur la grand-place pavée.

– Vous êtes seul ?

– Je suis avec ma femme, Béatrice et les deux enfants... Mais encore une fois, ce sont mes vacances en Allemagne ! s'écria-t-il.

– Ça ne fait rien. Continuez, insistai-je pressentant au fond de moi que ces prétendues vacances pouvaient bien cacher quelque chose ; décrivez-moi la place.

– Il y a des arcades : c'est un bourg qui a gardé son caractère médiéval, avec une mairie de style gothique allemand, des magasins... Non mais cela ne sert à rien, me redit-il, ce sont mes vacances en Allemagne. Je m'en souviens très bien, c'était au mois de juillet. Nous avons pris la voiture...

Une fois encore, je le ramenai à sa description des lieux. Je lui demandai de me dire comment il était habillé ainsi que sa femme et ses enfants. Tandis qu'il répondait je commençai lentement à ressentir une angoisse au niveau du plexus. Je l'invitai alors à jouer le jeu et à faire comme s'il était réellement là-bas en ce moment sur cette place de village.

– A quel moment de la journée vous trouvez-vous, lui dis-je, que faites-vous? Comment vous sentez-vous? Comment ressentez-vous cet endroit? etc.

Et sans transition, je m'adressai à sa conscience supérieure :

– Et maintenant, je vais compter jusqu'à cinq et à cinq vous allez voir la cause, la cause, la cause de ce problème à la nuque qui affecte le corps du présent et rien d'autre, rien d'autre que la cause, la cause.

Je comptai rapidement jusqu'à cinq, claquai les doigts à la fin du décompte et lui dis :

– Maintenant laissez les choses se faire. Que se passe-t-il?

Le décor avait changé. Jacques était toujours sur la place, mais trois siècles plus tôt. Il était habillé en paysan. On lui avait lié les mains dans le dos et on le conduisait vers un gibet. Je lui fis revivre toute la scène, y compris la pendaison finale et le fit ensuite passer de l'autre côté, après la mort, dans la période entre les vies et là. Au terme d'un travail que j'expliquerai plus tard, Jacques prit conscience que ses problèmes à la nuque provenaient directement de cette pendaison du passé. Après cette séance, ils ne réapparurent plus jamais.

La guérison de Jacques fut réelle, aussi réelle que fut pour lui cette histoire de pendaison au xviie siècle dans un bourg allemand. Et pourtant, allons, il nous faut bien y venir et poser la question que peu ou prou tout un chacun se pose : Jacques a-t-il fabriqué ce scénario de toutes pièces, même inconsciemment, ou a-t-il vraiment retrouvé le souvenir d'un événement qui n'appartenait pas à cette vie : les vies antérieures, mythe ou réalité?

Un chercheur empli de doutes s'en irait fouiller les archives de l'époque. Il écumerait les registres des naissances et les procès-verbaux des bourgmestres. Il exigerait des dates, des noms, des détails. Je l'ai dit, ce qui m'intéresse c'est que chacun s'ouvre à soi-même et trouve le chemin de sa propre réunification.

Il n'en reste pas moins vrai que la question mérite d'être posée et que, comme à toute question simple sur un phénomène complexe, on ne peut pas répondre de façon tranchée.

Procédons donc par ordre. Se pourrait-il qu'il s'agisse là d'une simple fantaisie mentale, d'un scénario plein d'imagination et d'invention monté de toutes pièces? Voilà qui paraît difficile. Si l'on demande à cent personnes différentes d'improviser une histoire, située, disons, au Moyen Age, même les plus douées pour ce genre d'exercices vont hésiter, chercher leurs mots et auront vraisemblablement du mal à construire une histoire cohérente en cinq ou dix minutes. Or, dans le cas de Jacques comme dans les autres, c'est un récit construit, entier, qui «sort» spontanément et sans efforts. Sans même, parfois, que l'opérateur n'ait pratiquement à intervenir : cela m'est arrivé. D'ailleurs sur les centaines de milliers de personnes qui ont voyagé dans un passé antérieur à cette vie, l'immense majorité s'entend pour dire qu'il ne peut pas s'agir là d'une simple construction de son imagination car toutes affirment avoir eu beaucoup plus la sensation d'expérimenter elles-mêmes, de revivre littéralement une situation, un événement que de raconter une histoire.

J'ai pour ma part souvent constaté qu'en cet instant la voix de la personne changeait, certaines de ses expressions faciales aussi. Comme si en racontant leur autre vie, les personnes qui régressaient dans le passé retrouvaient temporairement des traits de leur identité ancienne.

Une caractéristique qui a fait dire à certains – et notamment à des médiums qui se sont penchés sur les vies antérieures – qu'il s'agissait là d'un phénomène de possession légère, la personnalité se trouvant temporairement «parasitée» par une autre personnalité. Je n'ai pas une grande expérience de ces phénomènes dits de possession ou, plus pudiquement, de «parasitage» par une entité, mais je sais que les personnes qui en sont victimes ont en même temps la conscience et la pénible impression d'être habitées par «quelque chose» d'étranger à elles-mêmes. En général, leur comportement change assez radicalement et ce changement s'accompagne de peurs irrationnelles, de sueurs froides et de troubles divers que je n'ai certes jamais constaté chez les personnes qui voyagent dans le passé. D'autre part, loin de ressentir un sentiment d'étrangeté, toutes témoignent, au

50

contraire, d'une impression de familiarité, d'un sentiment de connexion très profond avec la personnalité retrouvée dans la vie antérieure.

C'est justement cette familiarité, cette intimité même, qui a fait dire à nombre de psychologues et psychanalystes classiques, dans la mouvance de Freud et même de Jung, que les prétendus souvenirs de vies passées ne sont en fait que des constructions de l'inconscient, des histoires qu'il invente et met en scène pour raconter ses conflits internes; des « métaphores », ainsi qu'on me l'a parfois affirmé.

Voilà une hypothèse qui mérite d'être prise en ligne de compte, même s'il n'est pas vraiment possible, à l'heure actuelle, d'expliquer comment de simples métaphores peuvent induire, par le seul fait qu'on les exprime, la guérison des malaises qu'elles représentent.

Cela dit, on ne peut pas, à mon sens, confondre les scénarios des vies passées avec de simples constructions de l'inconscient. Pour bien faire comprendre ceci le mieux est sans doute de rapprocher les deux à travers deux techniques, celle que j'utilise pour les vies passées et une technique dite d'« imagination active » développée par Jung.

Dans la méthode d'imagination active, les participants sont en général assis comme pour une méditation. Il leur est demandé de laisser remonter en eux une « bulle » de l'inconscient. Ce peut être une image, un fragment de rêve, peu importe. L'essentiel est de ne chercher en aucune façon à l'interpréter, à la guider ou à la contrôler. Avec un peu de pratique on y arrive fort bien et cette image, mue par sa seule logique interne, sa propre énergie psychique, commence à s'animer, c'est-à-dire à raconter une histoire dans laquelle on invite alors le participant à entrer. Non en qualité de conteur, puisqu'il ne doit rien diriger mais comme acteur de cette espèce de rêve éveillé. Il lui est même demandé, dans certains cas, de dialoguer avec les personnages de l'histoire. Il lui est surtout expressément recommandé de bien ressentir toutes les émotions (de peur, de colère, de tristesse, d'agressivité, etc.) qui vont le traverser.

A la lumière de ce qui précède, voici le récit que fait Claude de l'une de ses séances d'imagination active :

51

« Je suis en train de courir. J'ai une fourche à la main. Des gens se battent autour de moi. Il y a des soldats à cheval. Je crois que ce sont des paysans qui se battent contre des soldats. Ils sont très nombreux autour de moi. Ils arrivent sur moi! Un cavalier se détache et vient droit sur moi. Son visage grimace de fureur. Il lève son épée. Je saute en l'air, dans les nuages. Je disparais et voilà que je me retrouve à l'âge de six ans. Je suis en train de pleurer. Je suis tombé et je me suis fait une grosse bosse sur la tête. »

Voici maintenant ce que donnerait la même histoire dans une séance de régression dans les vies antérieures:
Patrick: « Qu'êtes-vous en train de faire? »
Claude: « Je suis en train de courir dans un champ. »
– Est-ce que vous êtes seul?
– Non. Il y a plein de gens.
– Comment sont ces gens? Comment les ressentez-vous?
– Tout le monde court. Je crois qu'il s'agit d'une bataille.
– Comment êtes-vous habillé?
– J'ai des vêtements assez pauvres, des espèces de haillons. Mes pieds sont chaussés de chiffons: de la grosse toile.
– A quoi cela vous fait-il penser?
– Je crois que nous sommes des paysans.
– Contre qui êtes-vous en train de vous battre?
– Il y a des cavaliers à cheval. C'est contre eux que nous nous battons.
– Qui semble avoir l'avantage?
– Les soldats. Je crois que c'est une révolte de paysans. Ils sont en train de nous décimer.
– Quel est votre aspect physique? Comment vous ressentez-vous?
– Je me sens assez petit, trapu, musclé. Je dois avoir une vingtaine d'années.
– Qu'êtes-vous en train de faire? Êtes-vous armé?
– J'ai une longue fourche à la main. Les autres ont des armes de fortune.
– Que se passe-t-il maintenant?
– Des soldats se dirigent vers moi. L'un d'eux lève son épée.
– Et maintenant?
– L'épée s'abat sur ma tête. J'ai plein de sang partout. Je

tombe. Je crois que je suis en train de mourir. Je m'en vais. Je flotte.

– De quoi avez-vous conscience maintenant?

– Je flotte au-dessus de mon corps. Ma tête a l'air éclatée. Moi, je me sens détaché. C'est fini. Je pars.

– Vers quoi allez-vous?

– Je laisse mon corps là où il est. Je vais vers un endroit au-dessus de la terre. Je ressens des présences bienveillantes autour de moi.

– Savez-vous qui sont ces êtres?

– Ce sont peut-être des guides. Je sens que je communique avec eux sans parler. Je n'ai plus de corps maintenant.

En mettant côte à côte les deux récits, il saute aux yeux qu'ils ont un certain nombre de points communs. Mais toute la différence réside dans la manière dont l'histoire est développée. Dans le premier récit, libre cours est laissé à l'imagination et à l'inconscient, au moment fatidique où l'épée va fracasser le crâne du jeune homme, ricoche et invente une parade pour éviter d'avoir à affronter la souffrance et la mort.

En l'occurrence si, comme on peut le voir dans le second récit, il s'est produit alors un vrai traumatisme, celui-ci n'a aucune chance de remonter à la conscience. Cela dit, non pour critiquer la technique de Jung qui a l'immense mérite d'apprendre à stimuler les perceptions internes et a ouvert, en pionnière, la voie à bien d'autres techniques, mais pour bien souligner la différence. C'est qu'avec la technique d'imagination active on ne s'inquiète pas de savoir si l'histoire sort effectivement de l'inconscient ou si elle provient de la mémoire. On ne cherchera pas non plus à établir de lien entre l'enfant de six ans qui se fait une bosse au front et le paysan qui meurt le crâne fracassé par une lance.

Or j'aurais très bien pu, en séance, emmener Claude dans son enfance et au moment où il se fait sa bosse demander à sa conscience supérieure d'aller vers un événement similaire dans un autre passé. Nous aurions recueilli alors, sans doute, ce même récit. Je précise, d'ailleurs, pour l'histoire, que j'ai bien effectué cette séance avec Claude qui était, cela dit en passant, sujet à de rares mais très violents maux de tête, lesquels ont disparu à la suite de cette régression.

Ainsi, de par sa technique même, la régression dans les vies passées semble-t-elle interdire à l'inconscient de dérouler tout simplement ses fantaisies. Mais est-ce à dire que les fantaisies de l'inconscient n'entrent pour aucune part dans la mémoire des vies passées?

« Se souvenir », « se rappeler » ne sont pas choses simples.

Lorsque nous nous souvenons d'un événement précis de notre enfance, un événement marquant : joyeux (un mariage, un voyage, des vacances...) ou au contraire un drame familial, pouvons-nous garantir que le souvenir n'en a pas été enjolivé au fil des années ou au contraire, s'il y a eu traumatisme, dramatisé?

Si nous sommes honnêtes avec nous-mêmes, nous sommes bien obligés d'admettre que dans tout souvenir, surtout lorsqu'on entreprend de le raconter, il entre une part de fabulation, le plus souvent involontaire d'ailleurs. Il s'agit plutôt d'une déformation subjective des faits, tout à fait évidente lorsqu'on compare les différentes versions que donnent d'une même scène tous ceux qui y ont assisté. Il n'y a pas d'objectivité dans le souvenir. L'association de ces deux mots fait même figure d'absurdité, tout souvenir étant lié à une émotion et toute émotion agissant comme un filtre : l'affectivité dénature. On le sait, mais il ne viendrait pourtant à l'esprit de personne de nier la réalité de son enfance sous prétexte que les souvenirs qu'on en garde « après coup » s'avèrent relativement farcis d'erreurs « historiques » (de dates, de noms, de lieux), d'anachronismes et d'inexactitudes en tout genre. C'est pourtant au nom de ces « inconsistances historiques » que beaucoup rejettent l'hypothèse des vies antérieures (et voilà qui nous éloigne de l'inconscient) « puisque, disent-ils le souvenir n'est pas authentique ».

Or à mon sens, la garantie de l'authenticité du souvenir des vies antérieures n'est pas dans le degré de véracité des informations objectives qu'il fournit mais, au contraire, dans la charge émotionnelle qu'il comporte (et voilà qui nous ramène à l'inconscient). Car tout souvenir surgi de l'inconscient comporte une énorme charge émotionnelle. C'est en cela qu'il se distingue du souvenir conscient. Nous gardons un certain nombre de souvenirs et, lorsqu'il nous arrive de les ressusciter intérieurement ou de les raconter nous disons que nous les « revivons ». Et nous avons effectivement la sensation de revivre en même temps les émotions (l'enthousiasme, la colère, la joie, la peur...) que nous avons éprouvées alors. Mais nous ne faisons là encore que nous souvenir de notre émotion ancienne. Nous ne la revivons pas vraiment. En revanche, lorsque l'émotion ancienne « remonte » avec le souvenir – et en général, d'ailleurs, avant lui –, lorsqu'elle remonte intacte, comme si la scène se déroulait pour la première fois, c'est là infailliblement le signe que l'inconscient a déverrouillé sa porte. Les psychanalystes connaissent bien ce processus qui est aussi à la base du rappel à la conscience des souvenirs des vies passées, puisque la conscience supérieure, on l'a vu, a accès à l'inconscient. La comparaison s'arrête pourtant là. Il n'y a pas de processus de catharsis [1] avec les vies antérieures car la conscience supérieure permet d'en faire l'économie.

On continue cependant, cela dit en passant, de m'objecter que les souvenirs des vies antérieures ne sont en fait que des mémoires bien actuelles de films, scènes lues ou vues dans l'enfance. C'est un débat qui va vraisemblablement se prolonger pendant un certain nombre d'années encore.

Je ne peux que leur opposer mon expérience et celle de dizaines d'autres chercheurs qui demeurent persuadés, après des années de pratique quotidienne, qu'il s'agit bien là de souvenirs de faits vécus.

Même si, au terme de dix ans de travail, de réflexion et de recherche, ma position s'est nuancée. Je crois – bien entendu ! – à l'existence de vies antérieures mais je pense que les « souvenirs » qui s'expriment en état d'expansion de conscience sont en fait un « patchwork » de différents matériaux : d'une part des traces mémorielles d'événements qui se sont effectivement produits, de l'autre des tentatives de l'inconscient pour résoudre ses conflits internes à un niveau symbolique, archétypal, comme il le fait dans les rêves.

A cet égard, il est intéressant de noter que les rêves eux-mêmes contiennent parfois des traces de vies antérieures, surtout les rêves récurrents. Il m'est arrivé de me servir de rêves pour faire basculer certaines personnes dans leurs vies passées.

Ainsi avec Anne :

Anne avait une cinquantaine d'années et souffrait d'une

1. Processus qui consiste à revivre dans le corps du présent des souffrances du passé.

légère agoraphobie. Dans les grands magasins ou tout autre endroit bondé comme le métro aux heures de pointe, elle était saisie de malaises et de sensations diffuses d'étouffement. Tous symptômes qui ne se manifestaient que lorsque la foule était dense et qui n'empêchaient pas Anne de vivre ni de sortir dans la rue. En dehors de ça, elle faisait depuis une dizaine d'années le même rêve : celui d'une femme qui fuit dans la campagne poursuivie par des ombres. Ce rêve était assez intense. A chaque fois Anne se réveillait le cœur battant la chamade avec des sueurs froides et une forte angoisse. Au bout de dix minutes-un quart d'heure elle s'apaisait et se rendormait. Le rêve revenait quinze jours, un mois, deux mois plus tard, mais il revenait. Anne avait assisté à une de mes conférences à Paris, en 1986 et elle me téléphona pour faire un travail sur ce rêve. Elle n'était pas particulièrement acquise au phénomène des vies passées. Elle voulait simplement comprendre ce que le rêve essayait de lui communiquer. Lorsqu'elle vint me voir pour la première fois elle n'avait établi aucun lien conscient entre ce rêve et ses sensations dans la foule.

Lors de notre entretien préalable elle me parla donc de son rêve et ce n'est qu'incidemment, au cours de la discussion, que j'appris son agoraphobie.

Je décidai alors de ne l'emmener ni dans son enfance, ni dans sa vie fœtale, ni dans une vie passée mais de la basculer dans son rêve et de demander à celui-ci, comme on s'adresse à une personne, de me raconter son histoire, ce qui lui avait donné naissance.

Après la phase de relaxation, je demandai donc à Anne d'imaginer qu'elle était sur le point de s'endormir, qu'elle s'endormait, tout en restant, bien sûr, consciente et de retrouver la « saveur », l' « odeur » du rêve. Anne, qui se souvenait tout à fait bien de son rêve, parla d'abord de manière consciente :

— C'est une femme en blanc qui fuit. Il y a des ombres derrière elle.

Afin de la plonger plus profondément dans son rêve, je lui demandai :

— Branchez-vous sur ces ombres. Comment les ressentez-vous ?

— Je sens une menace.

— Je voudrais que vous me disiez ce qui se passe dans le corps du présent.

– Je sens une angoisse qui monte.

– La même angoisse que celle que vous ressentez lorsque vous vous éveillez après le rêve?

– Oui, c'est ça.

A ce stade, un quart d'heure environ s'était déjà écoulé et je décidai d'accélérer le mouvement. Je dis à Anne:

– Vous êtes maintenant en train de fuir dans la campagne. Les ombres vous poursuivent. Je vais compter jusqu'à trois et nous allons nous retrouver dans l'événement qui se cache derrière ce rêve. Un. Deux. Trois. Que se passe-t-il maintenant?

Une fois encore, la scène avait changé. La pleine campagne avait disparu pour laisser place à l'entrée d'un bourg. Une femme courait vers la campagne pour tenter d'échapper à une foule en colère qui la poursuivait. On voulait la mettre à mort pour sorcellerie. La malheureuse fut rattrapée, rouée de coups et laissée pour morte à l'endroit où elle se trouvait.

La scène était assez diffuse, les circonstances imprécises. Il semblait que nous nous trouvions dans un pays au sud de l'Europe, Italie ou Espagne, au Moyen Age. Je ne cherchai pas à en savoir plus mais aidai Anne à revivre les différentes phases de sa mort et lui demandai de faire le lien entre cette histoire et son problème présent. Elle me répondit qu'elle avait peur de la foule parce qu'elle lui rappelait la foule en colère qui l'avait massacrée dans le passé. Le rêve n'était qu'un rappel de cet épisode sous une forme déguisée.

Il n'y eut qu'une seule séance et les phénomènes disparurent totalement.

Il reste une question qu'à ce stade le lecteur se pose sans doute. Même si les voyages dans les vies antérieures permettent apparemment de résoudre un certain nombre de problèmes ne sont-ils pas dangereux, en tout cas, si l'on en juge par certaines scènes revécues, traumatisants?

Tout d'abord précisons ceci: comme je l'ai dit, tous les voyages dans le temps ne débouchent pas sur des vies pénibles.

Le Dr Hélène Wambach qui a régressé plusieurs milliers de volontaires avec sa technique particulière (elle les met en état de relaxation profonde et les emmène, de siècle en siècle procéder à une « vérification » de leurs différentes vies), le Dr Wambach, donc, estime qu'il ressort statistiquement de ses recherches que 70 % des gens, tout au long de l'histoire de l'humanité sont morts dans leur lit et que la cause la plus commune des morts était la pneumonie!

Par ailleurs, en ce qui me concerne, j'ai pu constater au fil de toutes ces années que la plupart des personnes qui régressent dans le passé ne voient que rarement des choses horribles ou violentes. Il semble en fait que l'inconscient ne libère jamais que les mémoires antérieures (ou même de la petite enfance ou de la vie fœtale) que nous sommes capables de supporter et d'intégrer dans notre structure personnelle consciente. Tout se passe comme s'il distillait ses informations goutte à goutte et à travers un filtre, de façon qu'elles puissent être assimilées au fur et à mesure.

Toutefois, il est clair que, comme tout chemin effectué vers les couches profondes de l'inconscient, l'exploration des vies passées est délicate. On ouvre un peu la boîte de Pandore. Il peut en sortir de puissantes forces inconscientes, plus ou moins facilement contrôlables, de fortes émotions, un certain sentiment provisoire de déstabilisation. C'est pourquoi je tiens à mettre, une fois encore, en garde comme je le fais dans pratiquement chacune de mes conférences ou de mes séminaires : les voyages temporels ne doivent jamais être entrepris qu'avec des personnes qui ont elles-mêmes fait cette expérience, je dirais : ce travail ; qui ont plongé dans les profondeurs de leur propre psyché, aussi bien au niveau de leurs vies passées que de leur enfance, de leur vie fœtale ou de leur naissance. Inversement, il m'apparaît clair que parler d'un phénomène tel que le voyage dans les vies passées – ou vouloir l'étudier – sans en avoir fait soi-même l'expérience, ne présente aucune valeur expérimentale. Ne serait-ce que parce que l'on s'expose alors à tomber dans tous les pièges que tend l'inconscient : la projection (de ses propres traits psychologiques sur l'autre), le transfert (de ses propres désirs et attentes), l'illusion et l'ivresse partagée. Il faut au contraire que l'opérateur soit allé le plus loin possible dans l'exploration de lui-même, qu'il se soit, si l'on peut dire, « épluché » jusqu'au cœur et se présente lisse.

Tout est en somme question d'éthique et de méthode. J'ai eu entre les mains un livre sur les vies passées écrit par Arnold Bloxham, qui fut un temps le président de la société des hypnotiseurs anglais et qui est décédé à la fin des années soixante-dix. Il raconte comment lui et les autres opérateurs de la même société procédaient. Ils utilisaient l'hypnose, bien évidemment. Mais là n'est pas la question – il en ressort qu'ils étaient beaucoup plus soucieux de collecter le maximum de détails historiques susceptibles d'être vérifiés par la suite que de la façon dont la personne revivait ces scènes du passé et de l'impact qu'elles pouvaient avoir sur elle. Pour preuve, cette anecdote concernant un certain Graham Huxtable qui était en train de revivre une vie de marin du XVIIIᵉ siècle. Il se trouve qu'une bataille avait lieu en mer et que le marin eut la jambe arrachée par un boulet de canon. Sur son divan Huxtable se mit à gémir de manière incontrôlée. Et Bloxham alors ne trouva rien de mieux que de le gifler vigoureusement pour le ramener à la réalité et lui certifier que sa jambe était bien en place, intacte! Or la dernière des choses à faire est précisément de ramener brutalement à la conscience les personnes qui voyagent. Il faut au contraire toujours ramener lentement le sujet à son état de conscience habituel, lui rappeler les sensations de calme et de paix qui l'habitent, lui demander de sentir la vie qui coule dans son corps, le poids de l'air sur son corps endormi, puis, lorsqu'il est revenu à lui, éviter de rallumer trop brusquement les lumières, etc. Mais surtout, au grand jamais ne le laisser « en rade » avec ses émotions en le ramenant au présent dans les moments cruciaux. Même si la personne s'agite, ce qui est le cas, car c'est justement le signe que l'on a mis le doigt sur un point sensible qu'il va falloir développer. Le but de l'exploration des vies antérieures est, à mon avis, de permettre à toute personne qui le désire, à travers un travail particulier, d'amener en pleine lumière des problèmes physiques, émotionnels et mentaux qui l'oppressent. C'est l'éveil personnel qui compte, pas la vérification de faits historiques qui relève de l'étude parapsychologique!

Il est des personnes qui, tout en ayant une démarche spirituelle, disent qu'il ne faut pas aller voir dans le passé. C'est un choix qu'elles font. Les Orientaux disent le contraire : « Ouvrez votre conscience. Comprenez qui vous êtes. Réunifiez-vous. Faites-le à tous les niveaux : celui de votre vie présente comme celui de vos vies précédentes. Car vous êtes la somme de tout ce que vous avez été. »

Chapitre 3

LE KARMA

Lorsque la première scène retrouvée lors d'une régression dans le passé se situe dans l'enfance, il y a de fortes présomptions pour qu'elle ait un équivalent, une sœur jumelle, au moins symboliquement dans une vie antérieure. Ces schémas répétitifs, ces « patterns » comme disent les Américains, qui nous font revivre les mêmes événements d'une vie à l'autre sont liés à la loi du karma dont je vais longuement parler. Ils sont aussi très utiles lors d'une régression car ils permettent de basculer d'une vie à l'autre comme on le voit dans l'exemple suivant.

Robert est bègue depuis l'âge de quatre ans. Depuis le jour où, alors qu'il marchait dans la rue, un grand chien noir lui a sauté dessus. Il avait les babines retroussées et s'est mis à aboyer violemment contre le visage de Robert. Cela n'a pas dû durer plus de dix secondes : la maman de l'enfant s'est précipitée pour le protéger. Il n'a pas été mordu mais il a eu une telle frayeur qu'il est resté en état de choc et totalement muet pendant deux jours. Lorsqu'il a recommencé à parler, il bégayait.

Naturellement, les parents de Robert ont tout fait pour le soigner. Des années durant, il a été remis entre les mains d'orthophonistes. Cela n'a pas changé grand-chose. Lorsqu'il a atteint l'âge adulte, Robert a fait deux ans d'analyse pour tenter de résoudre son problème d'expression orale en travaillant sur cet épisode de son enfance. Car tout le monde, orthophonistes, analystes, parents de Robert et Robert lui-même étaient bien d'accord : le bégaiement provenait de l'épisode du chien. (Encore que l'analyste pensait qu'il y avait peut-être autre chose derrière.)

Robert me parla de tout cela lors du premier entretien que nous eûmes ensemble. Je lui proposai donc – pour la première séance de retourner à l'âge de quatre ans et de revoir un peu ce qui s'était passé alors. Il rétorqua qu'il connaissait l'épisode par cœur : non seulement il en avait des souvenirs très précis mais il l'avait déjà rabâché un certain nombre de fois. Cependant il se dit d'accord pour revivre, une fois encore, ce qui s'était passé dans sa petite enfance.

Je l'installai sur le divan et, au terme du processus que l'on connaît maintenant, Robert se retrouva à l'âge de quatre ans en train de marcher dans la rue.

C'est le matin. Il marche à côté de sa maman. Ils vont faire des courses. Soudain, comme surgi de nulle part, un grand chien noir bondit sur lui. Robert voit ses babines retroussées, tout près de son visage. Le chien éclate en aboiements rageurs.

A cet instant j'utilisai une technique qui permet d'étirer le temps de sorte que la scène fatidique ne dure plus une dizaine de secondes seulement mais deux ou trois minutes. Sur le divan, le Robert du présent revivait avec intensité la terreur du petit garçon. Je lui demandai alors de bien laisser monter en lui cette terreur et au moment où je sentis que la charge émotionnelle était la plus forte, je comptai rapidement de un à trois. A la fin du décompte, lui dis-je, sa conscience supérieure allait retrouver un autre événement, lié à celui-ci, dans un autre passé.

Immédiatement, Robert se retrouva un jour d'hiver, à la campagne, à la tombée de la nuit, assailli par des chiens-loups. La scène se passait au Moyen Age dans une période de famine. Les chiens vivaient en bande et attaquaient pour se nourrir tout ce qu'ils rencontraient. Robert décrivit précisément comment l'homme du passé s'était fait assaillir. Il vit un chien lui sauter au poignet, un autre à la gorge, un troisième à la jambe. Ce fut un moment assez pénible car il se vit lentement mourir. Comme toujours lorsque quelqu'un revit le moment de sa mort lors d'une régression, ce qui arrive fréquemment et représente généralement un moment difficile, je demandai à la conscience supérieure de Robert qui flottait là, au-dessus de ce corps dévoré par les chiens, d'établir le lien entre les deux événements de ces deux vies : cela permet de se libérer des entraves du présent. « Au moment où le chien m'a aboyé au visage quand j'étais petit, le traumatisme de ma mort, dévoré par des chiens dans une vie antérieure, s'est réactivé » expliqua Robert de lui-même. Ce qui était tout à fait exact. On était ici en présence d'un schéma répétitif, de l'un de ces « patterns » dont nous avons parlé.

Autre exemple du même type, celui de cette jeune femme qui avait des problèmes continuels aux chevilles, surtout à la cheville droite. Elle se l'était foulée plusieurs fois et brisée deux fois. Il me parut intéressant de lui faire revivre l'un des deux épisodes de la fracture. Elle se retrouva adolescente sur une échelle. C'est bien entendu en tombant de l'échelle qu'elle s'était brisé la cheville. Ce que je lui fis raconter, là encore tout en étirant le temps. (Dans un tel processus, chaque seconde peut se transformer en une minute.) Au moment précis où sa cheville se brisait, je demandai à sa conscience supérieure de retrouver un événement similaire dans son passé. Elle se retrouva aussitôt dans un chariot, entraînée, les fers aux pieds jusqu'à Rome où on allait la vendre comme esclave. Là encore, on retrouvait le même schéma répétitif. Voilà qui nous conduit directement à la notion de karma. Qu'est-ce que le karma ? Beaucoup de gens en parlent mais, je m'en suis aperçu, sans vraiment bien comprendre de quoi il s'agit. Le karma est une loi enseignée dans les religions bouddhiste et hindouiste et qui a été abondamment commentée par les Tibétains et par toutes les écoles yogiques d'une manière générale. « Karma » signifie « action » en sanscrit. La loi du karma veut que toute action humaine – mais par action on entend aussi bien une pensée ou un sentiment – porte en elle une charge soit positive, soit négative, soit neutre et que cette charge libérée avec l'action revienne toujours en « boomerang » à celui qui l'a émise.

Ainsi celui qui a – prenons un exemple simple – sécrété de la haine ou de l'agressivité sera-t-il à son tour objet de haine et en proie à l'agressivité d'autrui ; celui qui a donné beaucoup d'amour recevra à son tour beaucoup d'amour. Mais pas forcément dans cette vie-ci. La loi du karma est inséparable de la doctrine de la réincarnation et l'un n'a pas de sens sans l'autre.

Il semble d'ailleurs difficile de croire à la loi du karma si l'on ne croit pas en même temps qu'une seule âme connaît plusieurs incarnations successives. Car alors comment expliquer les innombrables injustices à la fois sociales et individuelles dont nous sommes les témoins permanents ? Comment admettre que les uns naissent dans les bidonvilles quand d'autres prospèrent dans le luxe ? Comment accepter que ni l'intelligence ni la beauté ni le talent ne soient équitablement répartis sur cette planète. Et comment se fait-il que tout semble sourire (l'amour, la santé, l'argent, la beauté, la renommée, que sais-je?) à cet homme qui n'a jamais eu qu'une seule préoccupation dans la vie : sa petite personne alors que telle femme qui a donné sa vie aux autres n'a récolté en retour qu'une existence semée de deuils, de maladies, pleine de solitude et de problèmes financiers ? Comment expliquer toutes ces injustices criantes, inacceptables si l'on ne croit pas que nous vivons plusieurs existences successives et qu'en l'occurrence le « fieffé égoïste », comme la « sainte femme » sont sans doute en train de récolter le fruit de vies précédentes bien différentes de celle-ci ?

Bien sûr, ces deux exemples sont assez grossiers. Je les ai choisis à dessein pour bien faire comprendre la loi de base du karma. Mais il ne se manifeste pas de façon aussi manichéenne. En fait le karma agit de façon plus subtile sous la forme d'une programmation, pour prendre un terme informatique, générale de l'individu; on pourrait dire aussi de « code génétique de l'âme », dès avant la naissance. Les Tibétains et les yogis nous enseignent que le karma détermine les circonstances de la naissance, la personnalité des parents, le milieu social, etc. Les résidus karmiques – c'est ainsi qu'on appelle les traces laissées en nous par nos vies passées – vont déterminer également nos dons et talents (ou à l'inverse nos insuffisances dans tel ou tel domaine) mais aussi les éléments majeurs de notre existence. Et là on retrouve les fameux « patterns ». Ainsi d'une vie à l'autre voit-on la personnalité se « débrouiller » pour retomber sempiternellement dans les mêmes situations : être, par exemple, toujours attirée par des amis ou des conjoints qui contribuent à son élévation (ou au contraire auprès desquels la vie est intenable) ou encore se retrouver immanquablement sous la coupe de personnalités tyranniques, parents ou supérieurs hiérarchiques. Ou bien contracter toujours la même maladie, se voir infliger les mêmes blessures physiques ou morales. Il va de soi que loin de se « débrouiller » pour les créer, comme je le disais un peu ironiquement, la personnalité est prisonnière de ces états répétitifs. Est-ce à dire qu'elle est condamnée une fois pour toutes à supporter passivement le poids de son karma ? Évidemment non. La grandeur de l'être humain – et sa spécificité par rapport à toutes les espèces vivantes sur terre est justement de pouvoir se créer lui-même. Il n'est pas seulement la somme de ses conditionnements. Il est aussi ce qu'il se fait. Il existe un moyen de se libérer de son karma, c'est d'en devenir conscient. Seul ce dont nous ne sommes pas conscients nous meut à notre insu et malgré nous. Lorsque nous devenons conscients de quelque chose, nous en devenons en même temps le maître. En comprenant son karma, l'individu s'en libère. Comme le disent les yogis : « La sagesse efface le karma. » L'être « apprend, comprend et évolue ». Ainsi l'âme qui transmigre de corps en corps parvient-elle, au fil de ses incarnations successives à s'épurer de tout karma pour finalement se retrouver libre du « Samsara » : pouvoir échapper à la ronde des morts et des renaissances continuelles et atteindre le but désigné par tous les Sages, les Saints, ces êtres que l'on nomme avec justesse des êtres « réalisés » : la réalisation de la divinité en soi.

Vous voulez connaître votre karma ? Observez-vous. Regardez votre vie, vos succès, vos échecs, vos relations avec les autres, la façon dont vous communiquez avec eux (ou votre absence de communication). Considérez aussi votre corps et votre mode de pensée habituel sur le monde et sur vous-même, vos comportements, vos attitudes, la part d'amour, de joie, de compassion, mais aussi de négativité qui est en vous. Ce sont vos pensées, vos attitudes d'hier qui ont fait votre aujoud'hui. Et celles d'aujourd'hui feront votre futur. C'est aujourd'hui que vous le créez. Car il n'y a pas de juste milieu : ou le karma existe ou il n'existe pas. Ou bien notre existence n'a pas de but, nous avons surgi du néant et nous y retournerons après notre mort, comme le pensent les nihilistes et notre destin est de glisser le long du fleuve de la vie comme un canot sans rames emporté malgré lui par le courant; ou bien la vie a un sens, un but, et, une Intelligence que l'on peut nommer comme on le désire : Dieu, la Source de Tout ce qui est, l'Énergie cosmique... a formé ce plan de totale justice. Et alors nous sommes responsables de nous-mêmes.

Prenons l'exemple de Gérard :

Gérard est un homme d'une trentaine d'années qui est venu me voir en 1986 pour travailler sur son développement spirituel. Il voulait comprendre qui il était et en même temps pourquoi il avait des problèmes dans ses relations avec les autres ainsi que dans son travail. Il travaillait pour différentes sociétés d'électronique. Par ailleurs, il était engagé dans une démarche d'ouverture spirituelle et s'intéressait à tous les courants de pensée qui prônent l'amour et la réalisation de soi. Il assistait à des conférences, participait à des séminaires à droite et à gauche, était entré dans différents groupes de méditation mais il ne se sentait vraiment à l'aise dans aucun, n'étant bien ni avec lui-même ni avec les autres. Il avait changé plusieurs fois de travail et à chaque fois il s'était senti dévalorisé par ses supérieurs hiérarchiques. Les choses n'allaient guère mieux dans sa vie personnelle, en dépit de son désir d'établir des relations avec les autres et de les aider. Il souhaitait rencontrer quelqu'un qui partagerait sa vision d'un monde différent, mais toutes les relations qu'il avait eues avec des jeunes femmes avaient mal fini et de façon pénible, celles-ci le laissant en général «tomber».

Tout ceci avait contribué à lui donner une piètre image de lui-même et déterminé chez lui une espèce de déprime latente qui l'isolait encore plus. J'écoutais son histoire et j'étais frappé par la manière avec laquelle il me décrivait cet univers des groupes de méditation qu'il fréquentait ainsi que par son langage : il y avait comme de l'envie cachée derrière tout cela. De même lorsqu'il répétait : « Je veux me retrouver dans la lumière. Je veux aider les autres. » D'autant plus qu'à ce stade de sa vie il était plutôt amer et aigre à l'égard de la société qui, d'après lui, n'avait plus rien à lui offrir, ni un travail où il puisse s'épanouir tel qu'il était, ni un conjoint avec qui il puisse partager son point de vue spirituel. Je suggérai quelques pistes de réflexion. A chacune de mes phrases il rétorquait : «Oui, mais ça je le sais déjà.» Je lui demandai donc de s'allonger, lui mis le casque sur les oreilles, lui enjoignis de fermer les yeux, de respirer profondément et de se laisser aller, simplement aller.

– Laissez toute cette amertume et cette tristesse sortir de vous, lui dis-je. Voyez où cela vous mène.

Il obtempéra. Son corps participait : il serrait les poings, secouait la tête en signe de dénégation.

– Ce n'est pas juste, dit-il au bout d'un moment, ce n'est pas juste : pourquoi est-ce que tu m'abandonnes ?

Je lui demandai à qui il s'adressait. « A Colette, me dit-il, ma dernière compagne. » Et il reprit :

– Non Colette, ce n'est pas juste. Pourquoi me laisses-tu ? J'ai été le plus gentil des hommes avec toi. J'ai tout fait pour toi. Pourquoi m'abandonnes-tu ? Pourquoi fais-tu ça ?

– Répétez encore ces questions, lui dis-je pour voir où cela pouvait nous mener.

– Pourquoi m'abandonnes-tu ? Pourquoi me laisses-tu ? dit Gérard. Pourquoi me laissez-vous ? Pourquoi ne faites-vous rien ? Aidez-moi !

– Que se passe-t-il là ? lui dis-je, alerté par ce brusque changement d'interlocuteur.

– Ce sont les autres. Ils me laissent. Ils ne font rien. Ils m'abandonnent.

– Mais que se passe-t-il ?

– Les soldats viennent me chercher.

– Et Colette ?

– Ce n'est plus Colette. Ce sont les gens de mon village. Les soldats viennent me chercher et personne ne me défend.

– Les soldats sont-ils menaçants ?

– Non. On vient simplement me chercher pour m'emprisonner.

Gérard, dans son présent, commença à pleurer :

– Personne ne fait rien. Ils me laissent tous tomber.

Gérard avait rappelé à sa mémoire le souvenir d'une vie au XVe siècle dans un village. Il était herboriste, vaguement guérisseur et partait souvent dans la forêt cueillir ses plantes et ses herbes. Il vivait seul, à l'orée du village qui ne l'avait pas totalement accepté comme l'un des siens, mais en bonne entente avec tout le monde. Un jour des gens d'armes, accompagnés d'un prêtre, se présentèrent devant sa porte. Ils venaient l'arrêter pour le jeter en prison : des accusations formelles de magie et de sorcellerie avaient été portées contre lui. On le questionna puis, faute de preuves, on ne le mit pas à mort mais on le garda en prison. Il y mourut, après plusieurs années de détention, épuisé par la malnutrition, les mauvais traitements et la maladie, seul dans sa geôle.

Cette première séance, outre qu'elle aida Gérard à exprimer des émotions puissantes et surtout du chagrin, lui permit aussi de comprendre pourquoi dans son présent il avait cette envie d'aider les autres et, en même temps, ne parvenait à trouver d'attaches solides avec personne. Nous décidâmes cependant de retourner vers cette vie-là dans une deuxième séance pour essayer d'en savoir plus et mieux cerner son effet sur le présent.

– Ils m'abandonnent, répéta Gérard en revivant le même épisode. J'étais pourtant là pour vous aider. Vous vous êtes joués de moi, etc.

La blessure karmique n'était manifestement pas guérie. C'est donc que nous n'avions pas trouvé la cause originelle. Qu'est-ce qui se cachait encore derrière l'herboriste-guérisseur du Moyen Age à la fin tragique ? Plusieurs autres vies dans lesquelles le même scénario se répétait, comme nous le découvrîmes ensemble. Vers l'an 1000, Gérard avait été une femme dans un petit village près de la Seine ; un village qui fut entièrement rasé par les Barbares venus du Nord. Dans une vie plus ancienne encore, au VIe siècle, il avait été l'un des premiers prêtres chrétiens à évangéliser les Barbares dans ce qui est aujourd'hui l'Allemagne. Il avait essayé de les éduquer, de les soigner aussi, mais il avait été poignardé un matin par des Saxons irréductibles. C'était toujours le même scénario : « Je vous aide et vous m'abandonnez. »

Nous avons donc fait une dernière séance pour trouver le moment où cet abandon s'était produit pour la première fois, pour savoir, en quelque sorte, quand la pierre avait été jetée dans le temps des vies. Compte tenu de tous les éléments que nous avions déjà, je demandai à la conscience supérieure de Gérard d'aller directement vers l'origine de tout cela. Voici, résumé, ce que nous apprîmes cette fois-là.

Gérard avait été médecin acupuncteur en Chine, au IIe siècle sous la dynastie Han. Il était disciple de Lao-Tseu, le fondateur du taoïsme, et travaillait selon les principes de la médecine chinoise déjà millénaire. C'était un médecin coté, qui s'efforçait de conserver les gens en bonne santé plutôt que d'avoir à les soigner une fois malades, selon les principes chinois. Gérard décrivit la maison qu'il habitait, sa famille, son entourage, et la manière dont il travaillait les méridiens d'acupuncture pour permettre au Chi, l'énergie vitale, de circuler librement dans le corps. Un jour, il fut appelé à la Cour Impériale pour soigner un dignitaire atteint d'une maladie que Gérard ne put décrire mais qui semblait être une maladie de dégénérescence du type cancer. Malgré tous ses efforts le médecin taoïste se montra incapable de guérir le dignitaire qui mourut. Aussitôt, par décret impérial, il fut dépossédé de tout ce qu'il avait, destitué de tous ses droits, y compris celui de pratiquer son art, et jeté en prison. Là encore, il y mourut amer de n'avoir pas trouvé une seule voix pour intercéder en sa faveur, d'avoir été totalement abandonné par ceux qu'il avait aidés toute sa vie.

Ici se trouvaient les racines karmiques de Gérard : de son besoin d'aider les autres comme de son incapacité à le faire par peur d'être abusé.

Mais cela, dans aucune de ses vies précédentes, Gérard ne l'avait compris. Et voilà pourquoi il repassait sans cesse, d'une existence à l'autre, par les mêmes schémas, revivait inlassablement les mêmes drames. Dans cette vie-ci, le poids de son karma l'avait poussé vers une démarche spirituelle qui lui avait finalement permis de se comprendre lui-même et de dépasser son karma.

Cette dernière séance fut infiniment salutaire pour Gérard. Les connexions entre sa vie courante et cette vie originelle du médecin chinois lui devenaient soudain évidentes. Un poids très lourd et très ancien quittait ses épaules. Il commença à partir de ce moment à s'ouvrir à lui-même et aux autres. Lui qui était comme un aveugle essayant de guider d'autres aveugles devint un clairvoyant s'efforçant d'emmener les autres vers la lumière qu'il percevait au loin. Il commença à se faire des amis réels et put, par la suite, non seulement communiquer avec les autres mais véritablement communier avec ceux de son entourage qui avaient la même démarche que lui.

Je ne le revis pas pendant deux mois. Lorsque je le rencontrai de nouveau il avait déjà commencé à changer considérablement. Je lui fis faire encore quelques séances. Dans l'une des dernières il se retrouva chevalier en Terre sainte, chargé de protéger des Sarrasins les pèlerins qui se rendaient à Jérusalem. Il revécut sa mort, sous les flèches sarrasines : il avait donné sa vie pour protéger et sauvegarder la vie des autres. En regardant son corps en bas, il en ressentit une belle fierté. Cette vie, manifestement, apportait un contrepoids à l'amertume et au désespoir des autres. Le fait qu'elle resurgisse achevait le processus de rééquilibrage et de réunification que nous avions entrepris avec Gérard.

Ainsi la Sagesse avait-elle effacé le karma. Gérard pouvait désormais passer à autre chose. Il n'était plus obligé de répéter le même scénario.

On notera que Gérard a revécu d'abord toutes les expériences antérieures négatives avant de retrouver quelque chose de positif. Il en va souvent ainsi dans ce type de travail : les vies qui ont quelque chose à nous apprendre surgissent d'abord de la mémoire. Les autres se présentent ensuite. C'est d'autant plus compréhensible que la démarche vers les vies antérieures est souvent faite dans le but de résoudre un « problème ».

Il est un point que je voudrais préciser parce qu'il n'est pas évident pour nos mentalités judéo-chrétiennes : il ne faut pas confondre karma et morale. Le karma ne châtie pas. Il ne récompense pas non plus. Il restitue. C'est une loi de totale justice. Pour les Hindous, comme pour les Tibétains, il n'y a pas de péché. Dieu, Amour et source de toute vie, ne punit pas Ses créatures. Ce sont elles qui se punissent elles-mêmes par ignorance. Tout notre travail consiste donc à cesser d'ignorer, à devenir conscient.

Les Orientaux n'ont pas non plus la même conception que nous du bien et du mal. Il n'y a pas pour eux de bien dans lequel Dieu se trouve et de mal dont Il est absent, mais deux forces contradictoires – le Yin et le Yang, dirait le tao – que Dieu habite comme Il habite toute chose puisqu'Il est tout.

De ce fait on peut se demander ce qui permet de déterminer une bonne action (au sens large toujours, pensée et sentiment compris) et une mauvaise ; la nature – bonne ou mauvaise – d'un karma. Les yogis nous répondent qu'est mauvaise toute action qui blesse un individu, qu'il s'agisse de soi-même ou d'un autre. Mais il n'y a véritablement blessure que si le conscient (ou l'inconscient) de la personne a voulu blesser, comme on peut le voir à travers l'exemple de Marianne :

Marianne est enseignante dans un lycée et fait partie,

depuis une quinzaine d'années, d'une fraternité initiatique. Elle a une très belle démarche spirituelle. C'est quelqu'un qui est très tourné vers les autres. Elle consacre plusieurs heures par semaine à rencontrer des malades et à accompagner des mourants. Elle a revécu plusieurs de ses vies passées et dans l'une d'entre elles elle s'est retrouvée prêtre du dieu Tlaloc, le dieu aztèque de la lune. Or les prêtres de Tlaloc accomplissaient des sacrifices d'enfants et Marianne revécut une scène où elle sacrifiait de ses propres mains un enfant sur un autel de pierre. Elle fut horrifiée. Mais il faut comprendre qu'il s'agissait à l'époque d'un acte normal. Sacrifier un de ses enfants au dieu était alors un immense honneur pour la famille et pour l'enfant lui-même. Celui-ci, bien sûr, ne souffrait pas car on lui faisait boire un produit qui le rendait inconscient. Pourtant selon notre conscience d'aujourd'hui l'acte est horrible.

Dans une vie ultérieure, mise à jour dans une séance suivante, Marianne se retrouva religieuse vers la fin du xix⁰ siècle. Elle était partie en Afrique pour s'occuper d'enfants lépreux. Elle revint en France quarante ans plus tard pour mourir au sein de sa congrégation d'origine, en 1925, usée par tant d'années d'apostolat et de brousse.

Aujourd'hui Marianne vit heureuse. Elle est mariée, elle a deux enfants et la vie que l'on sait. Y avait-il un karma négatif lié au prêtre du dieu Tlaloc? De notre point de vue, qui est celui de notre culture, oui. Mais du point de vue de celui qui a accompli alors le geste sacrificiel, évidemment non.

On se demande pourquoi l'Occident qui admet totalement l'héritage génétique des traits physiques et des traits de caractère, persiste à refuser cet héritage karmique, cet ADN spirituel, en quelque sorte, que nous enseignent les Orientaux. Peut-être parce qu'il lui faudrait alors admettre, puisque le karma collectif existe aussi, qu'il est responsable de l'état de ce monde qu'il trouve si « mal fait » et dont il se plaint sans cesse...

J'ajouterai une dernière chose à propos du karma. J'ai croisé un certain nombre de personnes qui, en prêchant la doctrine du karma, prêchent aussi ce que j'appellerai une forme de démobilisation générale du service d'autrui. Leur raisonnement est à peu près celui-ci : à quoi bon aider les autres, puisque tant que nous n'avons pas compris la nature illusoire de nos émotions, de nos attachements, de nos sentiments, etc., nous ne sommes jamais que des aveugles guidant d'autres aveugles.

J'ai envie de répondre que certes le monde matériel tout entier n'est qu'illusion – que « maya » comme le disent les hindous. Mais que dans le même temps, nul sacrifice accompli pour l'aide ou l'amour des autres n'est vain. Même s'il est méconnu, même s'il est mal utilisé par son bénéficiaire. Car tout acte de renoncement à soi-même est un acte de libération qui nous rapproche du but. Plus nous abattons les murailles de la prison de notre ego, plus grands sont la clarté et le rayonnement de notre être. Notre force de conviction alors, c'est notre vie, plus convaincante que toutes les paroles pieuses, les sermons ou les raisonnements spécieux : soyez magnifiques et vous éveillerez chez les autres le besoin d'être magnifiques à leur tour.

L'un des maîtres à penser du début du siècle, Gurjieff, disait que l'être humain était quelque chose qui se conjuguait au pluriel. Lorsque nous parlons de nous-mêmes dans la vie courante, nous disons « je » : « Je fais ceci », « Je pense cela », « J'aime ceci », « Je ne veux pas cela », mais nous sommes victimes d'une illusion. Le « je » dont nous parlons n'existe pas. Car il y a des centaines, des milliers de petits « Je » en chacun de nous. Nous sommes multiples, hélas divisés contre nous-mêmes. Dans les années 60 Roberto Assagioli, le père de la psychosynthèse, a bien mis cela en évidence et démontré que chaque personne est constituée de plusieurs sous-personnalités formées par toutes sortes d'événements marquants ou d'influences de l'enfance surtout. Mais ce qui est vrai dans cette vie-ci l'est également dans la perspective des vies antérieures. Et de même que Roberto Assagioli propose à chacun de réaliser sa « psychosynthèse », c'est-à-dire de réunifier ses sous-personnalités en en prenant conscience[1]; de même grâce à l'ouverture de conscience nous pouvons réaliser en nous la psychosynthèse de toutes nos sous-personnalités héritées de nos vies passées. Il est par exemple des traits de notre caractère qui nous étonnent parce qu'ils contredisent l'ensemble de notre personnalité; d'autres qui nous dérangent parce qu'ils ne cadrent pas avec notre système de valeurs ou notre idéal humain; d'autres encore qui nous

1. *Psychosynthèse*, Roberto Assagioli : Éd. de l'Épi.

intriguent. Fréquemment, les gens viennent me voir pour mieux comprendre – voire se débarrasser – d'un aspect psychologique qui les perturbe. Par exemple j'ai souvent rencontré des personnes qui sentaient en elles de la colère, de l'agressivité, voire de la haine. Or la plupart étaient déjà engagées dans un cheminement spirituel et non seulement se rendaient parfaitement compte de ces tendances mais en éprouvaient du coup une espèce de honte et s'efforçaient à tout prix de les combattre. Mais combattre ne sert à rien qu'à rejeter dans l'ombre ce qui finit toujours par en sortir. Mieux vaut tenter de comprendre d'où viennent ces colères et dans quels événements du passé elles s'enracinent. L'expérience m'a appris qu'elles sont souvent liées à la mort elle-même : la personne meurt en colère et emmène cette colère avec elle de l'autre côté.

Pierre est un de ces êtres qui se posent des questions sur le sens de l'existence, qui cherchent à s'ouvrir, à mieux se comprendre et à s'améliorer, comme du reste un nombre croissant de gens aujourd'hui dans la mouvance du courant actuel d'éveil spirituel. Or Pierre ressent en lui de la colère, de l'agressivité, de l'envie même, toutes choses qu'il voudrait bien dépasser. Au cours de l'une de nos séances il ramène à la conscience l'histoire suivante :

– Je suis un paysan. Nous sommes en Europe centrale. Vraisemblablement en Roumanie.

– Comment vous sentez-vous dans votre existence ?

– Bien. C'est une vie un peu difficile : nous n'avons pas grand-chose mais nous sommes heureux. Nous sommes dans un village tranquille.

– Mais cette colère, d'où vient-elle ? Allez vers sa cause. Essayez de sentir son « odeur ». Qu'est-ce qui lui a donné naissance ?

L'image bascule et voici que le paysan roumain se retrouve devant son village ravagé par les Turcs, lors des invasions ottomanes en Europe centrale. Il voit les siens, ses amis, ses voisins égorgés, massacrés ; le village en flammes. Lui-même agonise et un puissant sentiment de haine gonfle sa poitrine :

– Je les hais, répète-t-il, je les maudis.

Et il meurt avec cette énorme colère qui va désormais transmigrer avec lui de vie en vie.

Autre exemple de ces colères du passé qui se transmettent au présent, celui d'Éliane. Éliane est une jeune femme, infirmière. Elle aussi fait une démarche spirituelle et suit un enseignement de méditation. Mais depuis des années elle est la proie de crises de colère terribles – parfois provoquées par des riens –, crises qu'elle ne maîtrise pas du tout, alors que par ailleurs elle a une personnalité plutôt douce et attirante. Mais elle se montre aussi très susceptible. Nous faisons une séance pour trouver d'où vient cette colère. Éliane retrouve une vie au XVIIᵉ siècle où elle se prénommait Marie-France. Elle avait coutume de participer à des messes noires. Éliane décrit d'ailleurs d'une manière extrêmement précise les différentes réunions où l'on invoque les forces noires de l'humanité. Elle campe l'officiant, m'explique que les participants sont allongés sur les dalles et raconte comment elle-même se concentre pour appeler les forces du mal. Tandis qu'elle parle, sa voix, dont le timbre est normalement plutôt clair, devient par moments basse et rauque. Nous arrivons à la fin de sa vie. Marie-France est arrêtée avec tout son groupe et brûlée comme sorcière sur la place publique. Je m'attarde à dessein sur la scène du bûcher et lui demande :

– Que se passe-t-il maintenant ?
– Je suis attachée au poteau. Le feu commence à monter.
– Que ressentez-vous ?
– Une colère énorme.
– Y a-t-il des gens qui assistent à cette exécution ?
– Oui. Il y a toute une foule. Pour ces gens, c'est un spectacle.
– Comment réagissent-ils ?
– Ils rigolent ! s'écrie-t-elle.
– Est-ce qu'il y a des gens près de vous, à côté du bûcher ?
– Il y a un prêtre qui tend une croix et qui récite des prières.
– Que ressentez-vous pour ce prêtre ?
– De la haine.

Ainsi Éliane/Marie-France avait-elle quitté son corps en emportant avec elle cette immense colère. A la suite de cette séance, dès le lendemain, Éliane se sentit beaucoup mieux, quoique un peu fatiguée. Le surlendemain elle me téléphona pour me dire qu'elle ne s'était jamais sentie aussi légère. Nous avions toutefois décidé d'aller voir s'il y avait quelque

73

chose d'autre derrière cette vie de sorcière au Grand Siècle, d'aller vers la cause originelle de ce karma. Nous avons donc refait une autre séance pour tomber cette fois-ci sur l'existence qui avait précédé immédiatement celle de Marie-France. Éliane y était un moine inquisiteur. Elle était chargée de descendre dans les geôles de l'Inquisition pour voir si les gens soupçonnés de sorcellerie y étaient questionnés selon les rites établis à l'époque par l'Église et l'ordre de saint Dominique. Éliane décrivit les sévices que l'on faisait subir à ces hommes et à ces femmes parfois très jeunes. Je demandai alors au moine ce qu'il ressentait. Avec sa conscience du présent, Éliane me répondit :

– C'est affreux ce qu'ils leur font mais le plus horrible c'est que je ne ressens rien. C'est comme si j'étais un contremaître en train de vérifier que tout se passe selon le règlement. J'ai l'impression d'avoir bonne conscience.

Vers l'âge de soixante ans, le moine inquisiteur s'était retiré de la vie active pour mener dans une demeure familiale une vie plus méditative. Et là, tandis qu'il méditait, il s'était posé à lui-même cette question qu'Éliane formula à haute voix :

– Avions-nous le droit de torturer tous ces malheureux au nom de l'amour de Jésus-Christ ?

Aussitôt je dressai l'oreille : sans doute la clé des vies futures était-elle là, dans la culpabilité éprouvée par le moine. Celui-ci mourut à soixante-douze ans, à un âge donc avancé pour l'époque. Pendant les douze dernières années de sa vie il avait basculé peu à peu dans une espèce de déprime latente, nourrie par sa culpabilité. Avant de mourir il s'écria : « Nous avons fait une grave erreur. Jésus nous a enseigné l'amour entre les hommes et nous avons torturé ces malheureux pour les ramener de force dans le droit chemin. Nous n'avions pas le droit de faire ça. » Il était mort avec sa culpabilité et l'avait emportée avec lui dans la période entre les vies. C'est pourquoi il avait choisi de se réincarner dans cette existence marquée par la sorcellerie. D'autres vies, entre celle de Marie-France la sorcière et l'Éliane du présent, avaient contribué à adoucir cette culpabilité, ce karma du passé. Mais il en était resté chez Éliane ces violentes crises de colère qui la laissaient elle-même pantelante au bout de quelques minutes. Après cette dernière séance, Éliane se sentit complètement libérée de ce poids du passé. Elle me raconta que huit jours plus tard comme elle se promenait au parc Monceau à Paris, elle eut soudain une sensation de bien-être extraordinaire qui dura plusieurs minutes. Comme si elle était enfin réunifiée.

Une fois encore, la leçon du passé avait porté ses fruits : « Apprendre, comprendre et évoluer. »

DEUXIÈME PARTIE

LES CHAMPS DE BATAILLE KARMIQUE

Chapitre 4

LA MÉMOIRE CORPORELLE

Dans les écoles classiques, les traumatismes physiques sont réputés sans influence sur le développement psychologique de l'individu. Quelqu'un a-t-il eu dans son enfance une maladie grave qui a mis sa vie en péril? Les psychologues conventionnels vont se concentrer sur le traumatisme affectif qu'a subi l'enfant en étant séparé de sa mère par l'hospitalisation. L'expérience de menace de mort et d'inconfort physique extrême qui ont accompagné la maladie ne constitue pas à leurs yeux de traumatisme important ou durable. Or mes observations – comme celles de nombreux autres chercheurs – montrent au contraire que les traumatismes physiques – surtout lorsqu'ils ont été accompagnés de menace de mort – laissent dans l'être une trace indélébile. En état d'expansion de conscience, les réminiscences de maladies, de blessures, d'interventions chirurgicales, d'accidents et en général de toutes les situations dans lesquelles la vie a été mise en danger (ou à un degré moindre l'activité physique de la personne diminuée) sont extrêmement fréquentes. Lorsque je parle de trace indélébile je ne parle pas seulement du souvenir : ces traumatismes contribuent aussi au développement de désordres émotionnels et affectifs.

Or on sait aujourd'hui que les désordres émotionnels, l'angoisse, une certaine tendance à la dépression peuvent provoquer à leur tour des blocages d'ordre physique. Cela a été démontré par les écoles ostéopathiques et notamment par les travaux d'Ida Rolf aux États-Unis. Comme l'explique un ostéopathe français, Jean-Pierre Martinenghi dans sa thèse.

«Il semble bien que notre vécu, nos émotions s'inscrivent dans notre corps (...) Ainsi le treillis conjonctif devient-il chargé de nos émotions. Une tendance se met en place, entraînant le corps vers la sclérose et le vieillissement.»

Autrement dit, certaines douleurs ou symptômes purement «physiques» en apparence s'avèrent en fait directement liés à des événements du passé qui ont eu sur l'individu un fort impact émotionnel. Comme si le corps avait stocké en un endroit précis la charge émotionnelle. Ainsi par exemple de ces douleurs ou gênes physiques qui – comme je l'ai signalé dans le chapitre précédent – commencent à se manifester parfois lors de la phase de respiration. «J'ai une sensation d'oppression sur la poitrine» ou «Je ressens une gêne au niveau de l'omoplate (du bassin, du genou, etc.)» sont pour moi des phrases précieuses. Car pour peu que la personne soit déjà bien relaxée et qu'elle soit vraiment disposée à laisser les choses se faire, on peut alors lui demander de ne surtout pas repousser cette douleur ou cette gêne mais au contraire de la laisser s'exprimer. Il en va de même lorsque la personne a exprimé, lors de l'entretien préalable, le désir de comprendre d'où vient telle ou telle maladie ou malaise chronique. Souvent les problèmes physiques servent de point de départ aux premières séances. Il s'agit en général de petits problèmes rebelles que la médecine ne parvient pas à neutraliser : des insomnies, des peurs, des angoisses, toux, etc. Je démarre alors la séance en demandant à la douleur de s'exprimer, de me raconter son histoire, ce qui lui a donné naissance. Et là, il y a pour un psychanalyste ou pour un psychologue un travail fabuleux à faire. Car la douleur effectivement s'exprime. Le corps raconte son histoire en faisant remonter à la conscience l'événement du passé lié à la douleur présente.

Il peut tout à fait s'agir d'un événement de cette vie, par exemple survenu dans l'enfance du sujet. Mais alors il s'avère très souvent que ce traumatisme (de l'enfance ou de tout autre moment de la vie) est directement lié à un autre épisode traumatique survenu dans une vie antérieure. On retrouve là encore les «patterns». En l'occurrence c'est la douleur qui sert alors de pont entre les deux vies et nous permet de passer de l'une à l'autre. Parfois il n'y a pas d'événement traumatique dans l'histoire présente de la personne et la souffrance du corps du présent apparaît comme l'expression directe d'un problème non résolu du passé, d'un karma. Ainsi dans l'exemple suivant :

Ariane est cantatrice professionnelle et musicologue. Elle chante Mozart, Haydn, mais depuis quelques années, elle a un problème. Il arrive – relativement souvent – que ses cordes vocales se bloquent. Surtout la corde vocale gauche qui semble souffrir en même temps d'hémorragies. Comme par un fait exprès cela se produit surtout avant ses tournées importantes et elle s'est vue contrainte d'en annuler plusieurs, ce qui bien entendu lui cause du tort professionnellement parlant. Ariane s'intéresse à l'ouverture de conscience et elle se demande s'il pourrait s'agir là d'un problème karmique. C'est pour cela qu'elle est venue me voir.

Je l'allonge donc, la relaxe puis je demande à sa corde vocale gauche de s'exprimer (c'est le cas de le dire) à travers la bouche d'Ariane et de nous dire ce qui génère son problème. Très rapidement, Ariane commence à avoir quelques visions diffuses derrière ses yeux clos. Puis elle me dit qu'elle « entend » véritablement des bruits de foule. Il s'agit là de ce qu'on appelle un phénomène de clairaudience. Ils sont assez rares, mais dans le cas d'Ariane qui privilégie de par son métier le sens auditif, relativement compréhensibles. Intrigué, je lui demande :

– Que dit cette foule ? Branchez-vous sur ses vibrations. Qu'est-ce qu'elle émet ?

– C'est une foule en colère, me répond-elle. Elle hurle. En même temps je ressens comme une joie malsaine dans sa colère.

– Branchez-vous sur vous maintenant.

– Je suis au milieu d'eux. J'ai l'impression que l'on m'emmène quelque part.

– Est-ce un espace ouvert ? Sommes-nous à l'air libre ou à l'intérieur de quelque chose ?

– Non. Nous sommes à l'extérieur. J'ai l'impression que c'est une grande place. On m'emmène. Je sens que je vais mourir... On va me faire mourir ! s'exclame-t-elle soudain et elle commence à pleurer.

– Notez ce qui se passe dans votre corps. Comment ressentez-vous ce qui semble être votre fin prochaine ?

– Je me sens abattue. C'est quelque chose d'inéluctable. Je

ne peux plus rien : je suis comme un mouton que l'on conduit à l'abattoir. En même temps, je ressens comme une fierté diffuse.

– Essayons de comprendre ce qui se passe. Branchez-vous sur les gens. Comment sont-ils habillés? A quoi cela vous fait-il penser?

– C'est... C'est la Révolution française! Je suis une noble et on m'emmène avec d'autres à la guillotine!

– Avançons de quelques minutes dans le futur jusqu'au moment où la guillotine tombe.

Je lui fais alors revivre le moment de sa mort. Puis je lui demande ce qu'elle ressent maintenant que tout est fini.

– Je flotte au-dessus de mon corps, me répond-elle. Cela ne m'intéresse plus. Ce n'est plus moi.

– Avez-vous eu peur au moment de la mort?

– Oui. Je ressens encore cette peur. C'est diffus, mais je la sens encore.

– Est-ce que vous voulez dire que vous allez emmener cette peur avec vous?

– Oui, je crois que oui. C'est encore diffus mais ça m'accompagne.

– Je voudrais que vous fassiez si vous le pouvez un lien entre ce passé et le présent de cette vie.

– Chaque fois que je dois chanter en public, cela me rappelle cette foule qui m'a emmenée vers la guillotine. Les gens qui m'applaudissent dans les salles de concert me font penser aux gens qui hurlaient de joie lorsque je marchais vers ma fin.

Cette séance eut lieu au milieu de l'année 1986. Depuis cette date, à ma connaissance, Ariane n'a plus eu aucun problème d'infection de corde vocale. Il est par ailleurs intéressant de préciser qu'Ariane est d'origine américaine. Le hasard (?) de sa destinée l'a fait vivre en France, travailler en France et ramener à la conscience cet événement du temps où elle était française sous la Révolution à l'aide d'un opérateur français. Alors qu'elle aurait pu aisément trouver quelqu'un aux États-Unis.

Un autre exemple du même style m'a été fourni par une personne sujette à des angines à répétition. Elle était née avec le cordon ombilical enroulé deux fois autour du cou. Or mon expérience m'a montré (je l'ai dit) que bien souvent ces naissances correspondent dans des vies antérieures à une mort par pendaison ou strangulation. Bien entendu la personne en question n'en savait rien. Mais à peine la relaxation terminée, elle tomba directement sur la fin d'une vie d'homme assez floue. Le seul élément clair qui semblait se dégager de l'ensemble étant que cet homme allait être pendu. Mais au moment où la pendaison devait avoir lieu, comme dans une bande dessinée, surgit soudain un complice qui exigea du bourreau sous la menace de son arme qu'il libère sa victime. Et les deux hommes s'enfuirent à cheval. Je soupçonnai dans ce scénario trop idéal une magnifique esquive du subconscient mais je le laissai faire et il dérapa immédiatement vers une autre vie. Nous nous retrouvions cette fois dans le désert où notre homme enseignait comment cultiver la terre. Rien d'autre n'étant sorti de cette vie, je proposai lors de la séance suivante que nous revenions sur la première vie. Et là bien sûr la personne revécut ce qui s'était effectivement passé il y a bien longtemps : sa pendaison.

A l'inverse du cas fourni par les deux exemples précédents, il arrive que ce soit en ramenant à la conscience une vie antérieure que l'on trouve l'explication d'un problème physique du présent.

Témoin cette jeune femme d'une trentaine d'années qui, lors d'une séance, retrouva une vie au XIIe siècle. Elle y était morte étouffée, la poitrine écrasée par un rocher. Or cette jeune femme souffrait d'asthme depuis six ans. A la suite de cette séance, non seulement ses crises commencèrent à s'espacer et à diminuer en intensité mais nous réalisâmes ensemble qu'elle avait vingt-sept ans lorsqu'elle était morte sous son rocher : l'âge exactement auquel son asthme avait commencé à se manifester dans cette vie-ci.

Il est peut-être bon de faire ici un certain nombre de remarques. Premièrement, TOUS les problèmes physiques que nous rencontrons dans notre vie ne proviennent pas fatalement d'influences antérieures à cette vie. On peut se fouler la cheville à la suite d'un faux pas sans appeler aussitôt à la rescousse tout un passif karmique. Et s'il est vrai qu'il existe souvent une raison cachée à tout événement, elle peut tout à fait être actuelle. Dans le cas de la foulure, par exemple, il se peut que l'immobilisation passagère permette de prendre un recul salutaire.

Deuxièmement, on est en droit de se demander comment il se fait que nous ne nous effondrons pas sous le poids karmique dès l'instant que tout ce que nous avons traversé dans nos – nombreuses – vies passées se fait sentir dans le présent. C'est qu'il n'en est rien. Il y a des karmas actifs et des karmas neutres. Les karmas actifs sont ceux dont l'influence – bonne ou mauvaise – se fait sentir dans la vie présente. Les karmas neutres sont ceux dont nous n'avons pas conscience et qui n'existent qu'à l'état latent. Ils peuvent être réactivés, réveillés ou pas, par certaines circonstances de la vie. Souvenons-nous de l'histoire de Jacques, mort trois siècles auparavant dans la petite ville d'Allemagne où il était venu passer ses vacances dans cette vie-ci. C'est parce qu'il était revenu sur ces lieux que son karma s'était réactivé et qu'il avait ressenti des douleurs dans la nuque.

Évidemment les sceptiques peuvent, là encore, se demander si ces scénarios, ces récits liés à des problèmes physiques bien réels ne sont pas tout simplement des fabrications de l'inconscient, une traduction imagée – une « métaphore » de nouveau ! – d'une maladie, d'une douleur, d'un malaise plutôt que le souvenir d'une vie antérieure. On m'a bien souvent dit cela et j'avoue que cette réflexion ne m'étonne guère. Car il est clair qu'aujourd'hui – et en dépit, comme on va le voir, de l'avancement de certaines recherches dans ce domaine – on a encore le plus grand mal à croire que le corps et l'esprit puissent être si intimement liés et interagir à ce point l'un sur l'autre. Notre mode de pensée occidental (et avec lui toute la philosophie classique) a longtemps considéré le corps et l'esprit comme deux entités séparées. Ce dualisme est même le fondement de la pensée cartésienne. J'ai longuement traité de cela dans mon premier ouvrage, aussi je n'y reviendrai pas. Mais il n'en demeure pas moins qu'on voit partout les conséquences malheureuses de ce mode de pensée et tout spécialement en médecine où coexistent sans aucune communication entre eux, d'un côté les médecins du corps et de l'autre les psychologues et psychiatres, censés se charger de l'esprit. Les universités, les collèges, les centres de recherche en médecine et en psychiatrie sont soit carrément séparés, soit divisés en départements étanches les uns aux autres. Il n'y a ni recherche commune ni confrontation des résultats respectifs. Et dans l'ensemble on trouve les choses parfaites ainsi. Ce dualisme corps/esprit est d'ailleurs si bien entré – et ancré – dans les têtes que les psychiatres eux-mêmes, en l'espace d'un siècle, se sont progressivement orientés vers une explication purement organique, biochimique de la psyché humaine où toute pensée, tout sentiment se trouvent réduits à un processus chimique et plus généralement, l'esprit à un produit de cet organe qu'on appelle le cerveau.

Bien sûr il y a depuis quelques années une tentative de rapprochement de ces deux moitiés d'oranges que sont le corps et l'esprit au travers d'une nouvelle conception : le psychosomatique. Mais en règle générale le clivage reste total entre les tenants du traitement des maladies par la seule voie pharmaceutique et les adeptes d'une approche qui prenne en compte leur aspect psychologique.

Le rôle du mental et du subconscient dans certains problèmes physiques est encore largement dénié. Or des travaux comme ceux des Docteurs Karl et Stéphanie Simonton ont abondamment prouvé quels rapports étroits entretiennent le corps et l'esprit et quelle influence réciproque ils exercent l'un sur l'autre. Ces deux médecins – du reste mondialement connus – obtiennent en effet des rémissions spectaculaires dans des maladies comme le cancer grâce à une technique qu'ils ont mise au point : la visualisation positive. Elle consiste notamment pour le malade à visualiser son système immunitaire luttant contre la prolifération des cellules malignes. Cette technique a ensuite connu d'autres développements sous le nom de psycho-neuro-immunologie.

De son côté, ce que l'on appelle le mouvement holistique tente aujourd'hui de rétablir ce pont coupé entre le corps et l'esprit en faisant appel à la pensée orientale. Car depuis toujours en Orient on connaît et on apprend à utiliser le pouvoir créateur de la pensée et de l'imagination. On est pourtant loin encore d'avoir saisi tous les principes de l'interaction du corps et de l'esprit. Précurseur, Wilhelm Reich, médecin et psychanalyste américain dans les années trente, est mort en prison pour avoir défendu jusqu'au bout ses idées sur le fonctionnement de l'être humain. Pour lui tout désordre organique était la réflexion directe d'un problème émotionnel. En conséquence, pensait-il, si l'on parvenait à régler ce problème émotionnel, le corps pourrait se guérir lui-même.

Un certain nombre de thérapeutes ont repris à sa suite les travaux de Reich et pu vérifier avec constance que les traumatismes émotionnels laissent leur marque, «s'impriment» dans le corps: dans ses structures musculaires, dans ses organes, dans les rouages complexes de ses différents systèmes (lymphatique, endocrinien, nerveux, etc.). Il y a même tant de «matériel» émotionnel stocké dans les différentes parties de notre corps qu'inévitablement lorsque nous avons recours à des thérapies corporelles telles que l'ostéopathie, certaines formes de massages, le rolfing, etc. celui-ci remonte à la surface. Et si l'on accepte d'ouvrir encore un peu plus son esprit et d'envisager l'hypothèse des vies antérieures, alors on s'aperçoit – comme l'on fait et rapporté certains médecins américains qui explorent ce domaine avec passion – qu'en travaillant certaines régions musculaires douloureuses d'un patient, on provoque chez lui une «montée» de souvenirs (souvent fragmentaires) de ses vies passées [1].

Léonard Orr, un chercheur californien, a fait dans ce domaine un travail considérable avec le «rebirthing» (renaissance). Une méthode fondée sur l'hyperventilation qui permet de libérer les émotions résiduelles stockées dans le corps. Ainsi, dans le cas d'une douleur dans le dos, par exemple, en travaillant la zone douloureuse (en appuyant dessus ou en la massant) on va faire surgir, peut-être, le souvenir d'une mort par un coup de lance (ou de poignard) dans le dos. L'émotion est souvent revécue alors avec une grande intensité, mais avec un guide expérimenté et qui possède une ouverture de conscience nécessaire, on peut accomplir là un travail fantastique.

Malheureusement, toujours à cause de cette division cartésienne de l'être humain en deux, la plupart des spécialistes du massage et du travail sur le corps en général n'ont pas reçu l'enseignement nécessaire pour faire sortir le matériel émotionnel lorsqu'il se présente à la porte de la conscience à la suite d'une manipulation corporelle. A l'inverse, beaucoup de psychothérapeutes n'ont aucune expérience de ces manipulations. Ils auraient pourtant, à mon sens, beaucoup à

1. Ceci commence à être vérifié par un certain nombre d'ostéopathes français et canadiens avec qui j'ai travaillé et que j'ai initié à la plongée dans les vies passées.

apprendre les uns des autres dans ce domaine qui va peut-être révolutionner notre compréhension de la nature profonde de la personnalité et de certains désordres psychiques. Mais pour avoir moi-même participé, avec mon épouse, à des recherches de ce style avec une ostéopathe, je sais que ce travail a déjà été entrepris par certains avec des résultats notables. Fort heureusement, on aperçoit aujourd'hui des signes de changement dans les mentalités.

Il arrive aussi que du matériel antérieur à cette vie «sorte» spontanément au cours d'exercices de méditation comme le yoga ou le zen. L'un de mes amis qui pratiquait le zen avait souvent des nœuds, des espèces de «chats» dans la gorge pendant ses méditations, ce qui le gênait considérablement. En familier des pratiques de méditation, il essayait alors d'entrer dans la gêne pour la dissiper. Mais alors il était à chaque fois saisi d'une angoisse qui lui nouait le plexus solaire au niveau du troisième chakra. Il vint donc me demander un jour de l'aider à retrouver la cause de tout cela; un événement d'une vie antérieure, pensait-il, qui lui échappait.

Il avait raison car il ramena à la conscience une vie au temps des premières croisades où il faisait partie d'une troupe de pèlerins en armes qui fut encerclée par les Sarrasins. En plein désert et en plein soleil ceux-ci obligèrent les quelques centaines de pèlerins à former un grand cercle. Au milieu, ils mirent un tonneau d'eau auquel ils interdirent de toucher. Puis ils attendirent. Au bout de plusieurs heures, rendu à moitié fou par le soleil et la soif, un premier pèlerin se précipita vers le tonneau et but. Il eut aussitôt la gorge tranchée. Cela n'empêcha pas un deuxième de s'approcher, puis un troisième. Ils connurent le même sort ainsi que tous ceux qui choisirent d'aller boire et de se faire trancher la gorge plutôt que de mourir de soif, puisque telle était l'alternative. Cet épisode particulièrement sinistre de l'histoire des croisades est connu sous le nom de «Aguer Sanguinis», le Champ du Sang.

Après cette séance les grattements de gorge de mon ami et son angoisse diffuse ne se manifestèrent plus jamais. Il s'agissait donc bien là du matériel d'une vie antérieure qui n'était pas enfoui très loin dans la mémoire et qui commençait à remonter pendant les séances de méditation. J'en profite pour signaler aux « débutants » dans la méditation qu'il est fréquent de ressentir ainsi, affleurant le bord de l'inconscient, certains événements du passé. Beaucoup d'entre eux, lorsque cela leur arrive en sont extrêmement gênés et arrêtent aussitôt de méditer en se croyant au bord de la cassure mentale. C'est justement ce qu'il ne faut pas faire si l'on ne veut pas que ce précieux matériel ne s'enfouisse encore plus profondément dans l'inconscient.

Le Dr Morris Netherton de Los Angeles qui a longuement pratiqué la thérapie à travers les vies passées dit que la majorité des problèmes physiques sérieux qu'il a rencontrés chez ses patients (ulcère, épilepsie, migraines fortes et fréquentes, etc. et même certains types de cancer) étaient liés à des vies passées. Tous les médecins et thérapeutes qui travaillent dans ce domaine confirment d'ailleurs les recherches pionnières de Netherton. Et concluent, comme lui, que la réactivation du souvenir des événements du passé qui sont à l'origine du malaise physique ou de la maladie a généralement pour effet de les soulager de façon substantielle sinon, à tous les coups, de les guérir. Le Dr Roger Woolger [1], un médecin jungien américain présente les cas suivants comme les plus intéressants qu'il ait eu à traiter. Ils représentent, à mon sens, un bon échantillon des problèmes « karmiques » que l'on rencontre habituellement.

Une jeune femme qui souffrait d'une colite retrouve une existence passée de jeune Hollandaise, assassinée à l'âge de huit ans par des soldats nazis. La colite était une expression de la terreur résiduelle de la petite fille juste avant son exécution.

Un homme qui souffre depuis toujours d'une douleur chronique au dos, revit une mort où il agonise, la colonne vertébrale brisée, écrasé entre deux wagons de chemin de fer (la scène se passe dans les années vingt). La douleur diminue de manière substantielle après la séance.

Une femme asthmatique qui a également des problèmes aux yeux (conjonctivites fréquentes, etc.) ramène à la conscience une vie de moine au Moyen Âge. Accusé d'avoir entraîné un village entier dans des croyances hérétiques, le moine est condamné à regarder brûler sous ses yeux le vil-

1. *Other Lives; other Selves*, R. Woolger, Ed. Dolphin Doubleday.

lage et ses habitants. Ses yeux pleurent et ses poumons suffoquent sous la fumée de l'holocauste.

Un homme qui fait des crises d'épilepsie revit sa mort, démembré sur un champ de bataille : c'est son agonie qu'il a coutume de revivre dans ses crises.

Une femme voit ses migraines chroniques disparaître après avoir revécu son agonie. Elle est morte des suites de coups de barre de fer sur la tête que lui a donnés son père.

Évidemment tous ces exemples ne donnent pas du travail sur les vies antérieures une image très souriante. Mais ils ont le mérite de montrer à quel point nous pouvons être affectés par des événements qui n'appartiennent pas à cette vie. Je souhaite ardemment qu'un nombre de plus en plus important de thérapeutes, de médecins, de psychanalystes, de psychologues soit sensibilisé à ces phénomènes. Et je voudrais simplement citer ici le cas d'Edith Fioré qui a été l'une des premières psychanalystes américaines à travailler de façon intensive sur les vies passées. Le Dr Fioré a conduit quelque deux mille séances de régression dans les vies antérieures, mais, ainsi qu'elle l'a maintes fois répété, SANS Y CROIRE! Un bel exemple de curiosité scientifique et d'ouverture d'esprit réunis! Au bout de quelques années, constatant que les personnes régressées dans le passé se transformaient et que leurs maux physiques avaient tendance à disparaître, elle décida d'entamer elle-même une démarche d'ouverture spirituelle pour essayer de comprendre ce qu'il y avait derrière tout ça.

Pour ma part, je me souviens de cet homme qui avait fait le chemin exactement inverse. Il était intéressé par divers courants spirituels et il avait notamment étudié le yoga et le zen. Sa démarche, en venant me voir, était purement et uniquement spirituelle. Or il ramena à la conscience une vie de journaliste politique au début du siècle. Elle lui avait d'ailleurs valu de raconter l'affaire et le procès Dreyfus. Il me décrivit un duel dans lequel il s'était retrouvé face à un ami. Il fut blessé au bras mais fit voler l'épée de l'autre bretteur. Puis il raconta la fin de sa vie. Il était mort pendant la guerre, en 1915, des suites du crash d'un avion dans lequel se trouvait et qui avait été touché par un obus. Mais il n'était pas mort tout de suite : blessé, il fut porté à l'hôpital où on l'amputa aussitôt d'une jambe et où il fut aussi trépané. Or cet homme, dans son présent, souffrait de migraines tenaces ainsi que de douleurs à la jambe droite médicalement incompréhensibles qui se manifestaient, comme il me l'expliqua plus tard, « lorsque le temps changeait ». Mais il n'avait même pas pensé à m'en parler avant, tout occupé qu'il était par sa démarche spirituelle. Après cette séance, ses douleurs ont disparu complètement.

En dépit de tout ce que j'ai pu voir sur le sujet au cours de ces dernières années, il y a encore des choses qui me stupéfient aujourd'hui. Ainsi, il y a quelque temps, une jeune femme que je connais bien est venue faire avec moi un travail d'ouverture spirituelle. Comme nous bavardions, elle me raconta qu'elle avait toujours eu un problème avec la nourriture, plus exactement avec les produits laitiers. Depuis sa toute petite enfance, elle ne pouvait rien manger qui soit à base de laitages. Je lui proposai donc de faire un travail là-dessus et elle ramena à la conscience une vie où elle était un petit garçon. L'enfant était mort accidentellement à l'âge de quatre ans dans les montagnes, après avoir été gavé de lait et de fromage. Étonnant, mais des cas de ce genre, on en rencontre sans cesse.

Comme celui de Georges. Georges est un homme d'affaires de quarante-cinq ans. Il dirige une société. Depuis une vingtaine d'années il s'est intéressé à divers courants spiritualistes. Il avait assisté à quelques-unes de mes conférences et avait envie de faire le voyage pour revivre le cycle des naissances et des morts. Un jour il me dit qu'il avait depuis sa petite enfance un sérieux problème : il digérait très mal. Qu'il mange légèrement ou pas, « diététique » ou pas, il ne pouvait rien avaler sans être saisi de malaises dès la fin du repas. Enfant déjà il ne supportait bien ni biberons ni bouillies et ses malaises avaient continué dans son adolescence et sa vie d'adulte. Il mangeait donc le moins possible mais cela lui posait de gros problèmes car, menant une vie professionnelle très active, il était les trois quarts du temps amené à faire des repas d'affaires.

Après que son corps fut relaxé, je demandai à la conscience supérieure de Georges d'aller vers la cause de ces troubles. Celui-ci se mit alors à raconter la vie d'un corsaire à bord d'un bateau-pirate au xviiie siècle. Pendant une bonne vingtaine de minutes il me décrivit comment s'organisait la vie à bord, la façon dont les pirates harcelaient les bateaux de rencontre avant de passer à l'abordage et comment, une fois leur butin pris, ils rejoignaient leur repaire dans une rade connue d'eux seuls. Un jour ils se trouvèrent immobilisés dans la mer des Sargasses : le vent était tombé et les voiles restaient désespérément plates. Le bateau demeura là de longs jours. Le vent ne se levait toujours pas et, comme dans la chanson, les vivres vinrent à manquer. On organisa donc un rationnement sévère. La cambuse fut fermée à clé et celle-ci confiée à la garde de Georges-le pirate qui un jour, n'y tenant plus tant la famine régnait désormais à bord, ouvrit la cambuse et dévora tout ce qui y restait : peu pour un équipage et beaucoup pour un seul homme. Mais on le prit sur le fait et aussitôt ce fut la curée. Il fut jeté par-dessus bord en pâture aux requins qui rôdaient dans les parages et qui ne se firent pas prier. Que les lecteurs de *Nous sommes tous immortels* à qui je crois avoir déjà raconté cette histoire, me pardonnent mais je la trouve fabuleuse. Car à dater du jour de cette séance, Georges, qui avait tout tenté pour se guérir, y compris tous les régimes (macrobiotique, végétarien, etc.), vit ses troubles digestifs diminuer notablement et il put s'en aller serein à ses repas d'affaires.

J'ai déjà raconté aussi l'histoire suivante mais je ne résiste pas au plaisir de la faire connaître de nouveau. Il s'agit du cas d'un homme d'une cinquantaine d'années originaire du Berry. Il avait du magnétisme dans les mains mais il ressentait une crainte inexplicable à l'idée de s'en servir. Il me raconta qu'un jour un de ses amis s'était déboîté la cheville. Il souffrait beaucoup et lui eut aussitôt l'impulsion de tendre les mains vers la blessure. Mais une deuxième impulsion, plus forte que la première lui fit immédiatement retirer ses mains. Il voulait comprendre pourquoi il se comportait ainsi.

Après trois sessions, nous avons appris que cet homme avait vécu au temps des croisades. Il était alors un petit seigneur pauvre de Bretagne et possédait un don authentique d'imposition des mains dont il se servait beaucoup pour soulager les blessés de retour des croisades, précisément. Mais l'Église ayant eu vent de ce don prit la chose très mal puisque, comme on le sait, à l'époque, ce genre de pouvoir passait pour cadeau du diable. Il fut donc jugé par un tribunal ecclésiastique et si sa qualité de noble lui évita de justesse

91

d'être brûlé vif sur le bûcher des hérétiques, il n'en fut pas moins condamné à avoir les mains brûlées sur une plaque rougie au feu. En revivant la scène, l'homme du présent s'écria à plusieurs reprises avec force : « Mes mains me brûlent ! » Mais c'en était fini de la terreur qui l'habitait à l'idée d'utiliser son don. Et il en use désormais pour le plus grand bien de ceux qui en ont besoin. Phénomène intéressant, avant de ramener à la conscience la vie de ce petit seigneur notre homme avait revécu une vie de lépreux à la frange d'un village dont il ne s'approchait que muni de sa clochette pour prendre sa nourriture. Or quelques jours après cette séance l'homme du présent fut pris d'une irruption de boutons géante qui ne dura d'ailleurs qu'un ou deux jours. Ainsi, comme on le voit, certains événements du passé peuvent se réactiver de manière fugitive dans le présent.

J'ai observé, dans un certain nombre de cas, que lorsque l'on travaille sur une douleur du présent et que sa cause dans le passé remonte à la conscience, la douleur peut se réactiver pendant quelques heures – une demi-journée environ – pour diminuer ensuite graduellement. Comme si, avant de disparaître à jamais, le problème très ancien se manifestait en jetant ses feux, une dernière fois.

Lorsque nous réalisons tout cela, nos blessures deviennent nos forces. Et nous-mêmes devenons plus tolérants à l'égard des souffrances ou des handicaps physiques des autres. Car les leurs, comme les nôtres, nous rappellent en permanence notre condition éphémère. C'est ce que l'Orient appelle les leçons du karma.

François est un antiquaire d'une quarantaine d'années. En 1985, il se rend en Syrie pour son travail, c'est-à-dire pour voir des antiquités syriennes. L'affaire tourne mal et il est emprisonné quelques jours par les autorités du pays qui l'accusent de vouloir faire sortir du territoire des œuvres appartenant au patrimoine national. A peine est-il rentré en France (libéré grâce aux bons offices de notre ambassade en Syrie) François commence à ressentir des impressions bizarres lorsqu'il marche dans la rue : il apprécie mal les distances, a la sensation qu'il va tomber du trottoir, bref se sent un peu comme un homme ivre. Mais il a aussi des maux de tête et des sifflements dans les oreilles et par-dessus tout l'impression pénible de ne pas être vraiment là. Aujourd'hui je diagnostiquerais tout de suite un décalage de ce champ énergétique qui entoure notre corps et que l'on appelle corps éthérique. Car c'est l'un des aspects de la structure énergétique de l'être humain sur laquelle je travaille depuis 1985 avec un certain nombre de médecins et de thérapeutes. Mais à l'époque je n'ai pas encore conscience de tout cela. François, de son côté, est un homme pragmatique qui ne croit pas à la réincarnation et qui ne s'est jamais spécialement posé de questions sur le sens de l'existence. Mais une de nos amies commune lui a parlé de mon existence et, en bon pragmatique justement, il décide de tenter un travail avec moi. Outre la situation du moment il a un autre problème qui le tourmente depuis l'âge de dix-neuf ans : il est insomniaque. D'une façon assez particulière puisque ses insomnies sont associées à une peur du lendemain qui provoque chez lui des palpitations cardiaques et une grande tension. Que redoute-t-il au juste ? Qu'on ne cherche à le tuer.

Plusieurs années auparavant, François a tenté quelques mois d'analyse qui n'ont pas donné grand-chose et il a décidé d'arrêter. Il prend désormais des somnifères, dort malgré tout assez peu et se réveille le matin épuisé. Nous en sommes là dans l'entretien qui précède la séance lorsque François me dit qu'il se souvient très précisément du moment où ses problèmes de sommeil ont commencé. A l'âge de dix-neuf ans il est entré dans une base navale pour y effectuer son service militaire dans la marine. Tout s'est d'abord très bien passé puis il a été affecté au souterrain de la base et au bout de deux mois il a commencé à avoir des maux de tête et du mal à dormir. On l'a alors envoyé à l'hôpital militaire où après environ un mois de traitements divers ses maux de tête ont fini par disparaître. Mais les vrais troubles ont commencé six mois plus tard.

Avec son accord, je décide de ramener François à l'âge de dix-neuf ans, dans la base, au moment où il va s'endormir dans son lit.

– Vous êtes là maintenant dans votre lit, dans cette base souterraine. Combien y a-t-il de personnes dans ce dortoir ?

– Nous sommes à peu près une vingtaine.

– Arrivons au moment où vous allez vous endormir. Vous êtes dans votre lit, dans cette base... Et je voudrais que vous entriez en vous-même et que vous me disiez comment vous vous sentez.

– Je ne me sens pas mal, là! Mais... il y a quelque chose qui me gêne... C'est le ventilateur! Je sens l'air soufflé par le ventilateur tout près de moi.

Il y avait en effet près du lit de François une bouche d'aération qui alimentait en air frais le dortoir où couchaient les marins.

– Donc vous êtes sur le point de basculer dans le sommeil. Vous sentez l'air soufflé par cette bouche d'aération. Que ressentez-vous exactement?

– J'ai du mal à m'endormir. Je crois que... oui, cette bouche d'aération me gêne vraiment.

– Notez ce qui se passe dans votre corps du présent. Que dit-il? Que ressent-il?

– J'ai une angoisse diffuse qui monte. Je connais ça mais c'est curieux: je n'en avais pas conscience à l'époque, il me semble.

J'ai l'impression qu'il y a là, attaché à ce ventilateur, un schéma du passé, des traces mémorielles d'un événement antérieur à cette vie. Mais quoi? Je demande à la conscience supérieure de François:

– Branchez-vous sur l'air soufflé. Branchez-vous sur cette bouche d'aération et laissez votre angoisse diffuse sortir. Je vais maintenant compter jusqu'à trois. A trois, vous irez directement vers cet événement qui cherche à resurgir. Ne pensez pas. Ne réfléchissez pas. Un. Deux. Trois.

Je fais claquer mes doigts. Sa conscience a dû basculer dans un autre passé. Je lui demande:

– Où êtes-vous maintenant? Que se passe-t-il? Que ressentez-vous?

– J'ai l'impression d'être dehors. Il fait nuit. Je crois que je suis allongé par terre.

– Concentrez-vous sur votre corps. Essayez de réaliser s'il y a du monde autour de vous ou si vous êtes seul.

– Je me sens seul. Et puis il y a ce vent...

– Comment ce vent? Où vous trouvez-vous? Décrivez-moi cet endroit. Est-ce plat? montagneux? Est-ce qu'il y a des habitations proches ou lointaines?

– Non. C'est le désert. Il n'y a rien. Je sens du sable. Je suis allongé par terre. J'ai l'impression d'être mourant.

– Branchez-vous sur votre corps. Laissez-le parler. Que dit-il?

– Je ressens une espèce de cuirasse avec des jambières. Je crois que je suis un soldat romain. C'est ça! J'ai dû m'égarer ou alors j'ai été blessé dans un affrontement. Enfin j'ai essayé de me sauver et je suis en train de mourir là, tout seul, dans le désert.

Et soudain il s'écrie :

– Je suis dans le désert de Syrie! Je le sais! Je le sens!

Le soldat romain était effectivement mort, cette nuit-là, dans le désert. Ainsi la bouche d'aération d'une base marine avait-elle servi de relais à l'inconscient d'un soldat de dix-neuf ans nommé François pour retrouver, avec le vent des dunes, le souvenir de la mort d'un fantassin romain dans le désert. Je trouvai cela fabuleux.

J'ai fait passer le soldat romain de l'autre côté, dans la période entre les vies pour qu'il établisse le lien entre les deux événements et par la bouche de François il m'a dit : « Si je dors je meurs. » C'est une réponse que j'ai entendue à plusieurs reprises chez les insomniaques et qui, bien sûr, est aussi familière aux psychanalystes et psychothérapeutes.

Là encore on mesure quelle aide peut apporter l'exploration des vies passées à la compréhension profonde de certains troubles répertoriés. En l'occurrence, on comprend comment François s'était inconsciemment interdit de dormir pour ne pas mourir à partir du moment où il avait senti sur lui le vent puis tout le temps.

D'autre part on remarque que c'est le fait d'être retourné en Syrie qui a provoqué chez François ces malaises qui lui ont donné l'alarme et lui ont permis de prendre conscience de son karma. Il en est ainsi très souvent : c'est la rencontre de lieux, de personnes ou de situations liées à nos vies antérieures qui provoque la réactivation de certains karmas.

Après cette séance, François s'est senti nettement mieux. Dans les jours qui ont suivi, son sommeil – s'il n'a pas changé tout de suite – est devenu de bien meilleure qualité : ses sommeils courts – comme il me l'a précisé lui-même – étant plus profonds et beaucoup plus reposants. Il s'est dit aussi impressionné de voir les troubles qui l'avaient saisi à son retour de Syrie s'estomper réellement. Ils ont totalement disparu au bout de deux à trois semaines. Dans ce laps de temps, le sommeil était devenu toujours plus régénérateur et François n'avait plus, comme avant, d'angoisses au moment d'aller se coucher.

François a été pour moi un cas intéressant à plus d'un titre. D'abord parce qu'il ne s'était jamais posé de questions, disons métaphysiques au sens large, et que lorsque cette amie commune lui a parlé de l'hypothèse des vies antérieures et de la réincarnation il a commencé par rejeter ses explications. Ensuite parce qu'il n'avait aucune expérience de l'ouverture de conscience (il n'avait jamais pratiqué la méditation, par exemple) et pourtant il est «parti» très vite. La vie du soldat romain est sortie dès la première séance. Voilà qui m'a renforcé dans ma certitude, acquise tout au long de ces années, qu'il n'est pas nécessaire de CROIRE à la réincarnation pour que l'ouverture de conscience se produise et que le souvenir remonte. Il suffit de laisser simplement les choses se faire en ayant confiance en soi, de laisser les bulles de l'inconscient remonter du tréfonds de l'être et de les suivre à la trace. Pas plus qu'il n'est nécessaire de connaître la doctrine orientale de la mort et de la réincarnation pour se conformer exactement aux processus qu'elle décrit, en état d'expansion de conscience. C'est une des constatations, étonnante, que j'ai souvent faite.

En état d'expansion de conscience la plupart des gens sont à certains moments tellement pris par les scènes qu'ils revivent qu'ils en oublient totalement où ils sont, qui ils sont, etc. Et pourtant tous gardent présent à la conscience le fait que l'expérience qu'ils sont en train de vivre ne fait pas partie de leur vie présente. Ce phénomène de participation à la fois totale et distanciée est peut-être l'un des plus difficiles à comprendre pour quelqu'un qui n'est pas familier de ce type d'expériences. En fait c'est un peu comme lorsque nous assistons à un match (de football, de tennis, etc.) ou lorsque nous allons voir un film. Par moments nous sommes tellement pris par l'ambiance que d'une part nous en oublions totalement que nous sommes présentement assis dans une salle ou dans un stade; d'autre part nous «vivons» réellement en participation toutes les émotions du match ou du film. De même dans certains rêves très intenses sommes-nous capables d'entendre véritablement comme de goûter, de toucher, de sentir et de ressentir des émotions, avec une telle force qu'à notre réveil nous sommes surpris de découvrir que nous ne faisions que rêver. Les expériences de participation complète sont bien plus complexes que les rêves et ne se produisent que lorsque la personne est consciente; mais voilà qui peut aider à comprendre un peu mieux comment revivent les scènes du passé.

A lire le récit de ces scènes parfois terrifiantes, qui s'achèvent en tout cas le plus souvent dans la mort et le sang, on est en droit de se demander si le rappel à la conscience des événements du passé n'est pas en soi une expérience traumatisante, même si elle induit d'autres effets bénéfiques par la suite. C'est le contraire. La plupart des personnes qui retournent vers leur passé en reviennent habitées par des sentiments de joie et de paix. Certaines rapportent qu'elles se sont senties comme de petits enfants et qu'elles ont eu l'impression d'être entourées de présences bienfaisantes pendant tout leur voyage. D'autres disent avoir eu la sensation de s'approcher tout près de « la source de tout ce qui est », de Dieu ou de présences spirituelles. Beaucoup se sont sentis constamment enveloppés d'amour. Toutes impressions qui n'empêchent pas de ressentir également les émotions négatives du passé au moment où on revit certaines scènes, mais ce moment-là n'est jamais qu'une étape dans le processus d'ensemble de l'ouverture de conscience.

Saint Jean de la Croix, et avec lui beaucoup d'autres mystiques, a décrit un état de méditation profonde durant lequel il était allé aux frontières du monde physique et par-delà ces frontières jusqu'à un monde spirituel fait de pure connaissance. Dans ce monde – à ce niveau de conscience devrait-on dire – toute chose est connue. Il n'est plus nécessaire de penser, de réfléchir, de chercher sans fin la réponse à ses questions. Les réponses sont déjà dans l'esprit de celui qui questionne avant même qu'il n'ait fini de formuler sa question. Cet état est tout à fait comparable à ce que les Tibétains appellent la vacuité, ou les maîtres zen le non-être. Et c'est exactement ce qui peut être expérimenté durant certaines phases du rappel à la conscience d'événements qui ne se sont pas produits dans cette vie. Beaucoup de personnes s'y retrouvent dans cet état de connaissance intuitive tout en ayant, comme elles l'expliquent ensuite, l'intime conviction que cette connaissance est exacte. De même il leur semble alors qu'elles ont toujours eu la connaissance de ces événements, qu'ils ont toujours fait partie intégrante d'elles mais qu'elles les avaient oubliés, enfouis au tréfonds d'elles-mêmes comme des souvenirs dans une cave.

Dans presque tous les cas, les personnes reviennent de leur voyage dans la conscience avec une meilleure compréhension d'elles-mêmes et de leur but dans la vie. Certaines disent avoir véritablement senti qu'elles étaient éternelles, qu'une partie d'elles-mêmes avait toujours existé et existerait toujours. D'autres prennent alors conscience qu'elles ont une âme et que c'est cette âme qui les conduit à faire un certain nombre d'expériences spécifiques, donnant ainsi un but à chacune de leurs vies. Ces prises de conscience se font souvent de manière globale et rapide – comme des flashs – mais de l'avis de ceux qui les font elles modifient de manière durable leur regard sur la vie qui devient plus ouvert, plus généreux, plus beau.

Plusieurs semaines après le travail que nous avions fait ensemble, Georges, l'ex-pirate, me dit qu'il percevait maintenant qu'il avait une âme. Bien sûr on lui avait enseigné cela depuis sa plus tendre enfance. Mais cette âme était restée pour lui quelque chose de vague et de totalement abstrait. C'est pendant son voyage que la connaissance réelle de son âme lui était venue dans un flash intuitif.

Pour clore ce chapitre sur la mémoire corporelle laissez-moi maintenant vous présenter un dernier exemple qui m'est personnel puisqu'il concerne ma femme Marguerite.

Chapitre 5

L'INDIENNE

Un soir d'avril 1986, nous étions réunis à la maison, Marguerite, mon épouse, Elizabeth, une amie ostéopathe et moi. Elizabeth est une amie de longue date mais il y avait très longtemps que nous ne nous étions vus tous les trois et nous étions très heureux de ces retrouvailles. Elle a vécu de multiples expériences chez les lamas tibétains, les guérisseurs d'Hawaï et les Indiens Cherokees et elle nous parla ce soir-là de son cheminement intérieur avec plus de vérité et de force qu'elle ne l'avait jamais fait. Je parlai du mien, ainsi que Marguerite. Pour la première fois peut-être nous avions un sentiment de cœur à cœur total.

Puis Elizabeth partit. Il était près de minuit. Comme je restai encore quelques instants à bavarder calmement avec Marguerite, je la vis soudain esquisser une grimace de douleur. « J'ai mal à l'épaule droite », me dit-elle. La douleur semblait assez forte. Elle était aussi tout à fait inattendue, ma femme n'ayant jamais eu particulièrement à souffrir ni de rhumatismes ni de fragilité des articulations. Elle ne se souvenait pas non plus d'avoir effectué dans la journée un quelconque faux mouvement. Je lui suggérai alors de s'allonger et de se relaxer, puis une fois entrée dans cet état de relaxation, de projeter sa conscience dans l'épaule où s'était installée la douleur. Marguerite se concentra sur son épaule. « C'est curieux, dit-elle aussitôt, je viens d'avoir la vision d'un tomahawk. » (Il s'agit, ainsi que tous les enfants qui « jouent aux Indiens » le savent, d'une hache indienne.) « Eh bien, tu as dû mourir tuée par un tomahawk dans une vie passée ! » lui répondis-je en riant, sans chercher à approfondir car la journée avait été longue et je me sentais fatigué. Il était largement l'heure d'aller se coucher.

Lorsque Marguerite s'éveilla, le lendemain matin, non seulement elle avait toujours mal à l'épaule, mais elle éprouvait un peu de difficulté à la mouvoir.

A cette époque j'avais énormément de travail. J'étais en pleine rédaction du manuscrit de *Nous sommes tous immortels*, mon agenda était malgré tout couvert de rendez-vous et j'avoue que je ne pris guère le temps ce jour-là de m'occuper de Marguerite dont, semblait-il, l'épaule se bloquait et devenait de plus en plus douloureuse au fur et à mesure que la journée passait. Phénomène curieux, lorsque j'essayai tout de même une fois de la prendre dans mes bras pour la consoler, elle eut à mon égard une réaction de rejet, ce qui aurait pu après tout se comprendre si elle n'avait eu la même attitude vis-à-vis de notre fils alors âgé de six ans : ni l'un ni l'autre nous ne pouvions l'approcher et ce n'était guère dans son caractère ! Quoi qu'il en soit, j'émergeai ce jour-là, de mon dernier rendez-vous vers neuf heures du soir. Nous étions aussi fatigués l'un que l'autre et nous prîmes la décision d'aller nous coucher tôt.

Le lendemain Marguerite avait le bras complètement bloqué. Elle le tenait serré contre sa poitrine. Son épaule présentait toutes les caractéristiques d'une inflammation de l'articulation ou de quelque chose de similaire. « Je vais aller voir un médecin », me dit-elle. J'étais perplexe. Il me venait soudain à l'esprit que cette douleur avait surgi tout de suite après la venue d'Elizabeth. Et si elle avait un lien avec elle ? S'il s'agissait là d'une douleur karmique – que la présence d'Elizabeth avait réactivé ? Le seul moyen pour le savoir était d'aller voir dans le passé de Marguerite, ce que je lui proposai. Elle acquiesça : ce ne serait pas là sa première expérience. Elle avait déjà plusieurs fois exploré avec moi ses vies antérieures. Simplement il nous fallait attendre le soir qui nous apporterait un peu de tranquillité, une fois notre fils couché.

Le soir venu, Marguerite vint s'allonger sur le divan de mon bureau. Je demandai alors à la conscience de Marguerite d'aller vers la cause de cette douleur qui se manifestait depuis quarante-huit heures dans sa vie présente. J'utilisai alors la technique du tunnel temporel. « Dans quelques ins-tants je vais compter de cinq à un, lui dis-je et ma voix était très rapide. A cinq vous allez traverser ce cercle de lumière bleu nuit. A un vous en sortirez et vous serez ailleurs, en un autre lieu, en un autre temps, là où se trouve la cause du blo-cage d'aujourd'hui, de cette douleur dans l'épaule du présent.

Numéro cinq : traversez le cercle de lumière bleu nuit et laissez-vous aller maintenant... »

Nous sommes en 1870 un jour d'hiver aux États-Unis. Une colonne d'Indiens marche sur la terre gelée le long d'une rivière, la « Powder river ». Ils ne sont pas plus d'une cen-taine : des hommes (une trentaine de guerriers) mais aussi des femmes, des enfants et quelques vieillards. La plupart vont à pied faute d'un nombre suffisant de chevaux. Leurs vêtements et leurs couvertures sont en loques. Ils sont haras-sés, affamés. Voilà plusieurs mois qu'ils marchent, obstiné-ment, vers le Nord, nerfs et muscles tendus par une volonté presque surnaturelle, pour atteindre « le pays de notre Mère à tous », au-delà de la frontière : le Canada.

Quelques-uns parmi eux sont des Indiens Sioux. La plu-part sont des Cheyennes, de ceux que l'on appelait jadis « Les Beaux Indiens ». Leur tribu était alors puissante et possédait plus de chevaux que toutes les autres tribus des prairies. Eux-mêmes se comptaient par milliers. Aujourd'hui, après l'invasion blanche et vingt ans de guerre, ils ne sont plus qu'une troupe famélique et sans terre, une tribu en voie d'extinction que le gouvernement américain a décidé de par-quer dans une réserve.

C'est en apprenant cette décision et pour échapper à l'humiliation qu'elle représente pour eux qui sont nés « dans la prairie où le vent souffle librement, où il n'y a pas de clô-ture et rien pour briser la lumière du soleil » que les chefs ont donné ordre à leurs frères Cheyennes de rassembler quelques vêtements et de se tenir prêts pour le départ. On était alors à la fin de l'été. Ils sont partis un matin, au petit jour, en abandonnant leurs tentes. Toute la ceinture des forts militaires alentour a aussitôt été mise en alerte : voilà des mois que la cavalerie américaine est à leurs trousses. Vingt fois déjà, elle les a rattrapés. Vingt fois, guidés par les éclai-reurs chasseurs de bisons, les Cheyennes ont réussi à fuir. A chaque attaque leurs rangs s'éclaircissaient. Ils ne sont plus aujourd'hui qu'une centaine qui fuient à travers les forêts et les bois en évitant les villes, les villages et même les ranchs : tout ce qui rappelle la civilisation blanche. Car les civils aussi, les cow-boys, les colons, tout ce qui est capable de porter un fusil s'est lancé à leur poursuite et les harcèle.

Aujourd'hui, harassés, pleurant de fatigue, minés par le froid et la faim, ils ont décidé de s'arrêter au fond d'une vallée, près d'une rivière à la lisière de la forêt pour y planter leur campement et y tenir conseil : Faut-il continuer coûte que coûte vers le Nord, tenter encore d'atteindre « le pays de notre Mère à tous », en dépit des enfants, des vieillards, des blessures, des engelures et de la faim? N'est-il pas plus raisonnable de se rendre aux soldats et d'accepter, sous leur protection, de regagner la réserve où eux, les derniers survivants, formeront avec leurs enfants la descendance des « Beaux Indiens »?

Tous, hommes, femmes, enfants sont réunis sous le grand teepee pour le conseil. Et les uns après les autres, les guerriers, les sages prennent la parole. Certains soutiennent qu'il faut fuir encore, qu'il faut marcher; d'autres qu'il vaut mieux se rendre et d'autres encore qu'il faut se battre : « Nous sommes ici chez nous, disent-ils, c'est notre terre, celle que le Grand Esprit nous a donnée. Les Blancs n'aiment rien. Ils tuent tout ce qu'ils trouvent : ils tuent le bison; ils abattent les arbres; ils salissent les rivières. Ils n'aiment pas cette terre, mais ils veulent nous en chasser. Nous nous battrons pour y rester.

Une jeune Indienne demande alors la parole. Elle se nomme « Rainbow » (« Arc-en-Ciel ») et elle parle avec feu : « Les Blancs sont plus forts que nous, dit-elle. Nous les avons combattus aussi longtemps que nous avons eu la force et les armes pour le faire. Mais maintenant nous ne pouvons plus rien contre leurs fusils : nous sommes fatigués, nous n'avons plus d'énergie, même plus de quoi manger. Les soldats nous poursuivent, la haine au cœur. Regardez ce qu'ils ont fait subir à nos frères, aux Sioux, aux Arapahos. Nous ne pouvons pas rester là. Il faut continuer à fuir et nous arrêter le moins possible. »

Mais ce n'est pas l'avis de tous et la décision doit être prise à l'unanimité. La discussion se poursuit tandis que la nuit avance et, déjà, faiblit. Il y a longtemps que les enfants se sont endormis. Dans l'assistance beaucoup somnolent.

Rainbow sort du teepee. Elle est en colère : pourquoi tant de temps perdu? Les hommes du clan ne sont-ils donc pas capables de prendre une décision? Dehors une aube livide se lève sur la terre gelée. Le redoutable vent du Nord qui fait tomber les températures à moins de trente degrés au-dessous de zéro souffle en rafales glaciales. La journée sera difficile. La jeune femme suit du regard la lisière noire de la forêt toute proche. Quelque chose bouge entre les arbres : des silhouettes, des taches de couleur : des vareuses bleues, des bonnets de fourrure : la cavalerie américaine! « Les soldats! » hurle l'Indienne. Une volée de balles lui transperce le corps. Elle s'écroule dans la neige sans connaissance, l'épaule droite fracassée.

Dès qu'ils ont entendu le cri d'alarme de Rainbow les Cheyennes bondissent hors de leur tente. Ils se saisissent de tout ce qu'ils trouvent sous la main : arcs, vieux fusils, bâtons. Mais de leur côté les cavaliers dans un grand jaillissement d'écume ont franchi le gué de la rivière et encerclent le camp. Et ils tirent, sans relâche, sur les guerriers cheyennes beaucoup moins nombreux qu'eux et qui, en dépit de leurs efforts désespérés, se font abattre un par un; sur les femmes et les enfants qui tentent de fuir en traversant la rivière glaciale. En l'espace d'une heure plus de la moitié des guerriers a déjà succombé. Les soldats entrent alors dans le camp et mettent le feu aux tentes, aux quelques provisions et aux maigres biens qu'il abritait encore. Puis ils capturent les quelques femmes et enfants qui restent. Certains Cheyennes ont réussi à s'enfuir pendant la bataille à travers la plaine enneigée. Lorsqu'ils reviennent au camp, quelques heures plus tard et qu'ils découvrent le carnage, en pleurant et en se griffant les joues, ils ne sont plus qu'une quarantaine de survivants. Rainbow est toujours étendue dans la neige, inanimée. Trois jours plus tard elle quittera son corps de chair sans avoir repris connaissance pour entrer dans le monde du Grand Esprit.

Sur le divan, Marguerite, elle, reprenait lentement ses esprits, encore très secouée par l'histoire qu'elle venait de revivre. Ainsi elle avait été dans une vie passée l'Indienne cheyenne Rainbow-Arc-en-Ciel?

A la fin de la séance, lorsque Rainbow s'effondre dans la neige touchée par les balles, j'avais utilisé comme d'habitude une technique de projection de conscience hors du corps. Car bien que la jeune femme fût inanimée, sa conscience immortelle était toujours éveillée. Ainsi Rainbow avait-elle pu « voir » tout ce qui s'était passé ensuite. Elle avait vu la cavalerie américaine encercler le campement et tirer sur les hommes comme on tire des lapins. Elle avait vu la panique des enfants et des femmes cherchant à fuir. Enfin elle avait vu le carnage et elle en avait conçu une immense colère : « Je le savais. Je le savais, répétait sur le divan Rainbow-Marguerite. Il ne fallait pas que nous restions là. Il fallait continuer à fuir. Je le savais! Je le savais! » La jeune Indienne était morte avec cette colère, colère contre l'injustice faite aux frères de sa race mais surtout colère contre ses propres frères qui n'avaient pas su prendre de décision à temps, et parmi eux son mari.

De cela je me rendis compte lorsque je fis revivre à Rainbow le passage de sa mort. Ensuite je lui demandai d'étendre sa conscience, désormais libérée de son incarnation, entre la vie qu'elle venait de quitter et celle de Marguerite, d'établir un pont entre elles et de me dire si certains événements de l'une affectaient l'autre. « Oui, me répondit-elle, les balles qui ont traversé l'épaule de Rainbow au niveau de la clavicule. Elle a emporté le traumatisme avec elle dans cette vie. »

Ainsi avions-nous trouvé ce que nous étions venus chercher : la cause du mal et son remède puisque « la connaissance efface le karma ». Avant de rappeler la conscience supérieure de Marguerite dans son incarnation présente, je lui demandai, ainsi que je le fais toujours lorsque quelqu'un exhume un événement karmique de son passé, de se libérer : « Laissez aller le passé. Détachez-vous de lui. Redevenez libre dans votre présent. Il n'y a plus besoin d'expérimenter les effets du passé. Redevenez libre, libre. »

Une demi-heure après la séance la douleur avait quasiment disparu. L'articulation de l'épaule jouait de nouveau librement et Marguerite pouvait se servir de son bras presque normalement. Le lendemain matin tout était rentré dans l'ordre. Et y est resté!

A propos de cette histoire je tiens à souligner plusieurs points fondamentaux. Concernant le récit de Marguerite tout d'abord : je l'ai présenté ici de façon linéaire alors qu'il s'agissait on le sait maintenant, d'un dialogue entre Marguerite, en communication avec sa conscience supérieure, et moi. Ceci pour bien faire comprendre avec quel sentiment de vie, quels détails aussi, le souvenir des vies passées revient au voyageur, mais je n'y ai pas ajouté d'éléments romanesques. J'ai seulement remis en forme le discours des Indiens. Tous les lieux et les événements ont été décrits tels quels par Marguerite. C'est elle qui a également donné la date et les noms propres. Ce qu'il m'a, en revanche, été impossible de vraiment retranscrire c'est la souffrance des Indiens endurant le froid et la faim, obligés de racler la neige pour y trouver quelques pousses à manger et la colère de Rainbow lorsque, son corps étant inanimé, sa conscience immortelle se promenait au-dessus du carnage. A la suite de cette séance, nous avons effectué, avec Marguerite, quelques recherches historiques et nous avons retrouvé son récit dans l'un des épisodes de l'histoire du Nebraska et du Wyoming des années 1870.

Parti du Kansas à la fin de l'été 1870 pour échapper au sort que lui réservait le gouvernement américain, un clan cheyenne d'environ quatre cents personnes ainsi que des Indiens Sioux (tribu proche cousine) et Arapahos fut rattrapé à la frontière du Kansas et du Nebraska par les soldats américains d'abord près de Republican River puis le long de l'ancienne piste de la Platta. C'était alors la mi-septembre. Les soldats s'étant mis à tirer en dépit des pourparlers engagés, une course poursuite meurtrière commença alors à travers les états du Kansas et du Nebraska entre les Indiens, éclatés en plusieurs groupes à l'issue de la bataille et l'armée américaine dont la tâche était facilitée par le nouveau télégraphe sans fil qui permettait d'alerter de proche en proche les forts de la cavalerie. Vers la fin septembre la colonne fut rattrapée à plusieurs reprises mais réussit tout de même à fuir. Au début de l'automne les Cheyennes franchirent la frontière entre le Nebraska et le Wyoming où ils atteignirent la Powder River avec l'hiver. C'est là qu'ils subirent leur ultime défaite. Les quelques survivants furent emmenés dans les réserves.

Voilà pour l'histoire. Par ailleurs on se souvient que Marguerite ne voulait se laisser approcher ni par notre fils ni par moi lorsqu'elle souffrait de son épaule. Or durant son voyage dans la vie de Rainbow-Arc-en-Ciel elle évoqua à un moment donné la présence d'un mari et d'un fils d'une dizaine d'années. On sait aussi qu'elle mourut en colère contre ce mari qui n'avait pas su prendre, avec les autres, la décision qui les aurait tous sauvés du massacre et de la mort. Est-ce à dire que j'établis un lien entre le mari de Rainbow et moi? Autrement dit, que j'aurais pu être dans cette vie passée le mari de Rainbow? Je le crois et le ressens profondément. J'ai depuis l'âge de vingt ans une passion inexplicable pour les Indiens. Or il y a quelques années, à Los Angeles, alors que je participais à une séance de travail de «l'Association de Recherche et de Thérapie à travers les vies passées» j'ai revécu une vie d'Indien. J'étais à cheval et je galopais avec mon jeune fils. Nous étions poursuivis par des soldats et nous fûmes abattus tous les deux. Cette séance avait duré à peine une demi-heure et je n'avais guère eu le temps d'exhumer des détails sur mon existence passée, ni de faire un travail approfondi. Mais en aidant Marguerite à plonger dans cette vie passée, je m'étais senti très ému : tout cela me rappelait à moi aussi des choses vécues.

Ainsi les êtres qui aujourd'hui s'aiment et vivent ensemble se seraient souvent connus et aimés sous d'autres formes physiques, en d'autres temps et d'autres lieux? J'en suis persuadé (comme d'ailleurs tous ceux qui, notamment aux États-Unis ont travaillé sur les vies antérieures) et je vais m'en expliquer longuement dans le chapitre suivant.

Deuxième point fondamental : La rencontre de certaines personnes, la découverte de certains lieux, certaines situations ont le pouvoir de réactiver en nous le passé. Dans le cas de Marguerite c'est la présence d'Elizabeth qui a servi de vecteur. Elizabeth qui par ailleurs fut identifiée par Marguerite durant la régression comme une Indienne du clan massacrée pendant le carnage. Pourquoi la présence d'Elizabeth n'a-t-elle produit cet effet sur Marguerite que cette fois-là alors que les deux femmes se connaissaient depuis un moment déjà? Vraisemblablement parce que nous avions atteint ce soir-là une espèce d'état de fusion, de cœur à cœur total.

Toujours est-il que la douleur, en descendant dans l'épaule, n'a fait que manifester un problème karmique à ce niveau-là. Marguerite aurait très bien pu soigner son épaule avec des moyens médicaux classiques : pommades, anti-inflammatoires, analgésiques, etc. Avec les médicaments appropriés sans doute les choses seraient-elles rentrées dans l'ordre au bout de quelques jours. Mais le problème demeurait à l'état latent et il pouvait resurgir à tout moment. Dans huit jours, six mois, un an, deux ans, même, Marguerite pouvait tomber du tabouret de la cuisine et se déboîter l'épaule; ou se faire accrocher par une voiture dans la rue et se fracturer la clavicule. Peu importe les moyens que le karma aurait choisis pour se manifester. De toute façon il restait logé là. Mais à partir du moment où Marguerite a revécu l'événement karmique, et donc compris la cause réelle de sa douleur présente, le karma s'est dissous et elle a évolué.

Chapitre 6

LES LIENS KARMIQUES

Jean sort de la forêt. Le soleil est déjà bas sur l'horizon. Il a chassé toute la journée, comme il le fait souvent. Il est temps de rejoindre la vieille demeure familiale dont il aperçoit les contours au-delà des collines. Elle a été construite au XIIᵉ siècle pour ses ancêtres mi-barons mi-brigands qui revenaient de Terre sainte. Leurs descendants ont peu à peu agrandi le manoir.

Jean éperonne son cheval. Il a hâte de rentrer. Comme il contourne une colline, il lui semble percevoir une rumeur en provenance du manoir. Il approche. Il distingue maintenant une foule aux alentours de la demeure. Une foule excitée. Des paysans armés de fourches, constate Jean qui galope à bride abattue les yeux rivés sur le spectacle. Ils ont à moitié envahi la cour du château. Il y a des corps allongés par terre. On traîne une femme par les cheveux... Le cœur de Jean bat plus vite : c'est sa propre épouse sur qui s'acharnent les paysans! Ils sont en train de l'assassiner! Que peut-il faire? Il est seul. Les quelques hommes d'armes qui lui restaient encore sont morts il y a peu, la poignée de serviteurs qui demeure encore au château est constituée de vieillards. Au moins sauver sa petite fille. Il contourne la demeure et lâche son cheval au milieu des fourrés, là où, caché dans la broussaille, s'ouvre le passage souterrain qui conduit au château. Il court dans la galerie, puis dans les appartements du château, s'empare de la fillette en larmes et l'emporte par le même chemin. Dehors il entend les cris de sa femme et de la foule en colère. Lorsqu'ils surgissent tous les deux à l'air libre dans les fourrés, là-bas le drame est terminé. La femme de Jean gît dans l'herbe, ensanglantée. Tuée par des paysans en colère sans qu'il ait rien pu faire. Ivre de rage et de chagrin, il galope avec sa petite fille jusqu'au refuge d'un château voisin et ami. On monta, bien sûr, une expédition pour retrouver les coupables et ils furent châtiés. Mais Jean avait perdu l'épouse qu'il aimait et sa petite fille lui en voulait. Tout le long de la route, tandis qu'ils fuyaient, elle avait hurlé qu'il fallait aller chercher sa mère, qu'il ne fallait pas se sauver. Demeurée au château voisin, elle continuait à nourrir de la colère et de la rancune contre son père. Puis, comme elle grandissait, elle l'accusa d'avoir été lâche.

Jean savait qu'il n'était pas lâche. Mais il ne trouvait plus goût à la vie ni à personne. Il partit combattre. Il y avait de quoi faire dans ce XVIe siècle remué par des guerres incessantes. Il mourut comme il se doit, quelques années plus tard, sur un champ de bataille, gardant toujours au cœur la douleur d'avoir perdu sa femme.

Il l'a retrouvée pourtant, et sa fille aussi. Au début des années 1970. Près de quatre cents ans plus tard. Jean et sa femme se sont retrouvés à Paris. Ils s'appelaient alors Robert et Jeanne, sont tombés amoureux tout de suite et se sont mariés très vite. En ignorant, bien sûr − en tout cas consciemment − qu'ils s'étaient déjà connus, jusqu'à ce que Robert/Jean le découvre lors d'un voyage dans ses vies passées.

Ceci est fréquent. Les êtres qui se sont aimés dans le passé se retrouvent souvent d'une vie à l'autre, encore et encore. C'est là l'un des aspects les plus émouvants des recherches sur les vies passées.

Les personnes avec lesquelles vous ressentez un lien puissant dans votre existence ont été proches de vous dans une (ou des) autre vie. Vous avez pu être parents, amis, amants, mais si vous ressentez un lien profond avec un autre être, si cette personne est pour vous comme le prolongement de vous-même, alors il y a de grandes chances pour que vous vous soyez aimés, pour que vous ayez vécu, marché, souffert et ri ensemble, en un autre temps, un autre lieu, sous une autre forme physique. L'amour est une vibration fondamentale, la plus puissante de l'Univers. C'est lui qui fait tourner les soleils, monter la sève dans les arbres et grandir les enfants. Et l'amour est infini et éternel. Ainsi de l'amour qui lie deux êtres humains : il a toujours été et il sera toujours. Ni le temps ni l'espace ni la mort ne peuvent séparer ceux qui se sont connus, et continuent à se retrouver à travers les âges. Ils seront toujours UN. Tous ceux qui revivent, en état d'expansion de conscience, une union ancienne avec la compagne ou le compagnon de leur vie présente ressentent et expriment avec force à quel point cet amour incarné n'est encore qu'une pâle copie de la communion qui lie leurs deux âmes dans les mondes de l'au-delà.

Souvent les gens me demandent : « Combien de vies peut-on vivre auprès d'un être aimé ? » J'ai envie de répondre : « Combien y a-t-il de gouttes d'eau dans la pluie qui tombe ? » Nous ne vivons pourtant pas toutes nos vies aux côtés de la même « âme sœur ». Il en est où les êtres qui s'aiment ne se retrouvent pas, où chacun poursuit son évolution propre et s'en va établir, de son côté, des liens profonds avec d'autres êtres. Mais tôt ou tard, ces couples éternels sont appelés à se reformer, ces âmes jumelles à se rencontrer de nouveau, souvent d'ailleurs à des moments critiques de leur éveil propre. C'est que – on le sait – chacun « choisit » (au sens karmique) de traverser au cours de ses différentes vies une série d'expériences qui vont lui permettre de dépasser peu à peu ses programmes négatifs, ses peurs du passé. Ainsi des expériences de l'amour et du couple. Nous les « choisissons » parce qu'elles nous sont nécessaires pour avancer vers le but de tout amour humain : une union physique et spirituelle fondée sur un amour sans conditions et le respect de l'Autre. Les incompatibilités, les scènes, les ruptures mêmes et les séparations n'apparaissent plus, sous cette lumière, comme des échecs consommés mais plutôt comme des étapes, des périodes temporaires d'« apprentissage » pourrait-on dire, parfois nécessaires pour dépasser la peur et comprendre peu à peu le sens du mot « Union ».

Je me souviens de ce couple de l'Est de la France. Lui et elle étaient mariés depuis dix ans. Ils avaient deux petits garçons et ils vivaient, depuis qu'ils se connaissaient, une relation curieuse de « haine-amour ». Je leur fis faire une régression commune dans les vies passées, chose que je fais très rarement, au cours de laquelle ils retrouvèrent une vie où ils s'étaient aimés dans la Rome antique. Lui était patricien ; elle était esclave. Il l'avait séduite et, suite à cette relation coupable, la jeune fille avait mis au monde un enfant qu'elle avait fini par jeter dans un puits. J'ignore combien de vies communes ils avaient vécu ensemble depuis Rome mais il est clair qu'il restait entre eux des séquelles de cette relation première. Le fait de le comprendre les a ensuite aidés à dépasser les effets négatifs de cette relation, tout en approfondissant le lien qui les unissait.

L'exemple qui suit est beaucoup plus long. J'ai choisi de m'y attarder parce que c'est une histoire qui m'a beaucoup touché. Elle témoigne bien de la force de l'amour et du karma qui peut unir deux personnes et de la façon dont agit le karma. C'est l'histoire de Pierre et de Louisa.

Pierre est un ami. A l'époque où se situe le récit, je ne le connaissais pas encore très bien. Il était venu me voir et, comme nous parlions, il commença à me raconter « son » histoire, ou plutôt un morceau de son histoire qui avait bouleversé sa vie : l'amour qu'il avait éprouvé pour une femme, Louisa. Or Pierre était marié. Il avait l'air heureux dans sa vie de famille et, me dit-il, il l'était. Mais il ne parvenait pas à oublier Louisa.

« Ça fait cinq ans que je ne l'ai pas revue, me dit-il avec émotion et je pense encore à elle. Tous les jours, presque. Elle est tout le temps dans ma tête. Je crois parfois la reconnaître dans la rue et mon cœur se met à battre plus vite. Il suffit qu'un objet, un détail me la rappelle et je commence à me faire tout un cinéma mental : Où est-elle? Est-ce qu'elle pense à moi? etc. Et pourtant j'aime ma femme. Je me suis même souvent dit que si on m'offrait aujourd'hui de tout recommencer avec Louisa je dirais non. Je ne veux pas abandonner ce que j'ai peu à peu construit avec ma femme. Mais alors, je voudrais bien comprendre pourquoi elle m'obsède comme ça. »

Je suggérai alors qu'il y avait peut-être un lien karmique entre eux.

– Crois-tu alors que nous aurons une chance de nous retrouver à nouveau dans une vie future? me demanda Pierre.

Je lui répondis ce que je pense : que les mêmes âmes se réincarnent souvent au même moment afin de travailler ensemble et d'apprendre les unes des autres. Ce qui, à mon sens, est vrai pour les couples mais aussi pour les amis, les parents et même des groupes entiers de gens. Pierre me répondit qu'il doutait un peu de tout cela. Faire un voyage dans ses vies passées pour tenter d'y trouver la raison de son obsession lancinante pour Louisa? Il hésitait. Pour commencer, il me raconta son histoire en détail:

«C'était il y a six ans. J'avais trente ans et j'étais à ce moment-là ingénieur au service après-vente d'une société. Nous avions décroché un gros contrat de vente d'équipement industriel à une société de Bourgogne et je me rendais donc fréquemment dans cette région pour superviser le montage des machines. Il m'arrivait même d'y rester plusieurs jours d'affilée pour faciliter l'avancement des travaux. C'est ainsi que j'ai connu Louisa. C'était la secrétaire de l'un des patrons de l'entreprise bourguignonne et la fille de réfugiés espagnols. Elle avait tout juste dix-neuf ans et elle était d'une très grande beauté: de longs cheveux noirs, le teint mat, des yeux immenses. La première fois que je l'ai vue j'ai eu un choc. J'étais marié à l'époque. J'avais épousé ma femme dès ma sortie de mon école d'ingénieurs. Nous avions un fils. Mais ça n'allait pas très bien entre nous. Nous nous disputions beaucoup et à propos de tout: nous n'avions guère de goûts communs et tout posait problème et tournait au drame: le choix d'un lieu de vacances, l'heure du lever, etc. Bref, ces fréquents déplacements en Bourgogne finalement m'arrangeaient bien. Alors que j'étais là-bas, un soir, je croisai par hasard Louisa qui sortait de son bureau. Il était assez tard. Elle était restée pour terminer un travail urgent. Je lui proposai de prendre un verre. Elle hésita un peu puis elle dit oui. Dans le café nous commençâmes à bavarder de tout et de rien. Et plus je parlais avec elle plus je me sentais attiré par elle. Nous nous découvrions une foule de points communs. Nous aimions les mêmes choses, nous riions aux mêmes endroits... J'ai dit que mes relations avec ma femme n'étaient pas au beau fixe. Depuis plusieurs années ma vie de couple était frustrante mais malgré tout je n'avais jamais été ce que l'on appelle infidèle. Ce soir-là, après m'être séparé de Louisa, je m'aperçus que je ne pouvais pas m'arrêter de penser à elle. Le lendemain, je repartis pour Paris et tandis que je conduisais je voyais son visage flotter devant moi. Cela me rendait heureux et triste à la fois.

Quinze jours plus tard, je retournai en Bourgogne pour

superviser les travaux qui entraient alors dans une phase critique. Nous étions presque arrivés à la fin du montage des machines et il fallait passer à la phase de vérification qui précède la mise en route. J'avais énormément de travail et pas du tout le temps de voir Louisa avec qui j'échangeai seulement une ou deux fois quelques mots entre deux portes. Un jour tout de même je lui proposai de déjeuner rapidement avec moi et elle accepta. De nouveau je ressentis pendant ce déjeuner la profonde attraction que j'avais pour elle. Je m'en rendais parfaitement compte : j'étais en train de tomber amoureux fou d'elle. Mon séjour devait durer une quinzaine de jours. Je lui proposai deux ou trois fois de boire un verre le soir après le travail. Un soir, alors que nous marchions côte à côte dans la rue, je l'embrassai. Tout de suite, elle répondit. Puis elle m'avoua tout : elle partageait mes sentiments et elle aussi souffrait de ne pas pouvoir me rencontrer librement puisque j'étais un homme marié.

Le samedi matin, je retournai à l'atelier pour y passer une partie de la journée car l'équipe de montage travaillait aussi le week-end. Le soir, nous avions prévu d'aller dîner ensemble et, bien sûr, il arriva ce qui devait arriver. Je n'imaginais pas qu'une relation physique pouvait être aussi intense et aussi bouleversante. A partir de ce moment, je passai avec elle chacune de mes secondes disponibles. Puis je dus rentrer à Paris. Tout avait changé dans ma tête. Cette fois je retrouvai mon épouse avec un sentiment que je n'avais jamais connu jusque-là : la culpabilité. J'étais devenu celui qui dissimule, moi qui avait tellement envie de crier que j'aimais Louisa. Au cours des semaines qui suivirent, je retournai plusieurs fois en Bourgogne. De retour à Paris, un soir, j'avouai tout à ma femme. Je me sentais bourrelé de remords et je ne savais plus très bien ni où j'en étais ni qui j'étais. Elle s'était bien rendu compte que quelque chose n'allait pas. Il y eut un drame. Je m'y attendais. Puis elle prit notre fils avec elle et partit chez ses parents. Elle revint au bout de quelques jours, pour repartir encore. Pendant tout ce temps je n'avais pas quitté Paris. Mais je téléphonais chaque jour à Louisa.

Un autre drame se jouait là-bas, en Bourgogne. Louisa avait raconté l'histoire à ses parents chez qui elle habitait toujours (comme je l'ai dit, c'était encore une très jeune fille).

Dans ce milieu très catholique de réfugiés espagnols on ne badinait pas avec les principes. Les parents réagirent extrêmement mal et avec eux tout l'entourage immédiat de Louisa : ses frères et sœurs et même certaines de ses amies proches. Quoi! un homme marié! de plus avec un enfant! et de douze ans plus âgé qu'elle! Louisa était désormais en butte à des pressions quotidiennes. Elle non plus ne savait pas très bien où elle en était. Et moi moins que jamais. Ma vie de couple tournait à l'enfer quotidien, mais j'étais très attaché à mon fils et, d'une certaine façon, j'avais encore des sentiments pour ma femme. Or je sentais monter en elle l'angoisse du lendemain. Nous n'étions pas riches mais j'avais fini par obtenir un salaire qui lui permettait de ne pas travailler et d'élever notre enfant. Si je partais, qu'allait-elle devenir? Tout cela était loin de me laisser indifférent. Mais il y avait Louisa. Chaque fois que je la revoyais c'était le même embrasement, la même communion, mais nous souffrions tous les deux de culpabilité désormais et nous commencions à nous poser des questions : avions-nous un avenir ensemble?

C'était la fin du printemps. Le chantier allait s'achever. Toutes les machines étaient maintenant mises en route. Je proposai à Louisa de tout lâcher et de partir avec moi. Nous allions tout recommencer ensemble. Il fallait qu'elle vienne. Mais il lui était moralement impossible de partir à ce moment-là. Je retrouvai ma vie à Paris. Pour quelques mois, puis n'y tenant plus je lâchai tout et je partis m'installer dans le Nord de la France. Pas pour ajouter des kilomètres entre Louisa et moi, ce qui n'aurait de toute façon servi à rien puisqu'elle était toujours avec moi, mais parce que j'espérais qu'elle me rejoindrait là-bas. Mais elle ne pouvait pas faire le pas tout de suite. Je l'attendis. Nous nous téléphonions presque tous les jours. Un an passa. Ma femme et moi avions divorcé. J'étais seul dans cet appartement, déprimé. C'était un véritable gâchis. C'est alors que je rencontrai celle qui est aujourd'hui ma femme. Une jeune femme intelligente, généreuse. Je la vis un certain nombre de fois. Par ailleurs, j'avais retrouvé un poste intéressant dans le Nord. Je n'y étais plus si malheureux. Je décidai brusquement d'épouser cette jeune femme. Nous étions à peine mariés depuis un mois lorsque Louisa me téléphona pour me dire qu'elle avait, cette fois-ci, vraiment décidé de quitter sa famille et qu'elle était libre.

C'était trop tard. Trop difficile à admettre aussi : pendant quelque temps nous avons continué à nous téléphoner. Puis nous avons espacé les coups de fil... Mais je restais intimement lié à elle. Chaque fois que j'avais des mots avec mon épouse, je repensais à Louisa, à ce que nous aurions pu vivre ensemble. Ma femme était enceinte. Je me rendais bien compte que je ne pouvais pas passer toute ma vie à marcher ainsi à reculons. Puis quelque temps plus tard Louisa m'appris qu'elle se mariait à son tour. Et je n'ai presque plus eu de nouvelles. Ma femme m'a beaucoup aidé. Notre relation est solide, mais au fond de moi je ressens toujours cette tristesse, cette amertume : pourquoi Louisa et moi n'avons-nous pas réussi à faire notre vie ensemble?

Il y a quelques années, ma société m'a muté à son siège parisien. Me voilà donc de nouveau ici. La boucle est bouclée. J'ai quarante ans et je me dis qu'il serait tout de même temps de passer à autre chose. Parce que, quelque part, je sens bien que cette histoire m'empêche d'approfondir mes rapports avec ma femme. »

Je revis Pierre quelques jours plus tard. Il s'était décidé à « tenter », disait-il, un voyage dans les vies passées. Je l'allongeai donc sur le divan et, une fois la relaxation terminée, je m'adressai à sa conscience supérieure :

« Dans votre vie présente, vous avez rencontré, connu et aimé Louisa. Si vous vous êtes déjà rencontrés dans une autre vie, un autre temps, un autre lieu, nous allons y retourner. »

Je lui fis alors traverser le tunnel temporel et au moment où il surgissait dans la lumière blanche, je lui demandai :

– Que percevez-vous là? Êtes-vous à l'intérieur? A l'extérieur?

– C'est un espace clos. Une grande salle. Il y a beaucoup de lumière.

– Êtes-vous seul?

– Non. Il y a beaucoup de monde. J'ai l'impression qu'il s'agit d'une réception. Les gens portent des tenues habillées. Il y a des chandeliers partout. J'entends aussi de la musique : une espèce de clavecin.

Je lui demandai de se concentrer sur lui-même, de promener mentalement ses mains sur son corps et de me dire s'il était un homme ou une femme.

– Je suis un homme. Je me sens assez grand. Et assez fort aussi. Je porte une espèce d'uniforme avec des brandebourgs sur chaque épaule et des bottes noires.

– A quoi cela vous fait-il penser?

– J'ai l'impression d'être un officier de l'armée de Napoléon.

– Y a-t-il d'autres officiers présents?

– Oui. Il y en a quelques-uns.

– Je voudrais que vous vous concentriez sur les gens qui sont là. Comment sont-ils? Décrivez-les-moi.

– Les hommes sont en tenue de soirée. Les femmes ont des robes longues assez évasées. Il y en a une... Elle est coiffée avec un petit chignon sur la nuque. Elle a les cheveux noirs et le teint mat.

– Que ressentez-vous là, maintenant en me décrivant cette femme?

– C'est Louisa! Je suis sûr que c'est elle.

– A quoi vous fait penser cette réception? Où êtes-vous d'après vous?

– En Espagne. Nous sommes pendant la guerre d'Espagne. C'est une réception chez des nobles espagnols. Il y a là quelques officiers de Napoléon.

– Et vous faites partie de ces officiers français?

– Oui, c'est ça.

– Comment ressentez-vous l'attitude des Espagnols à votre égard?

– Ils sont aimables. Un peu distants quand même. Nous sommes l'envahisseur.

– Avançons un peu dans le temps et voyons ce qui se passe au cours de cette soirée.

– Je suis en train de parler avec la jeune femme.

– Comment s'appelle-t-elle? Laissez le nom venir à votre conscience.

– Maria.

– De quoi parlez-vous?

– De tout et de rien. Nous bavardons.

– Que ressentez-vous pour cette personne?

– Une attraction. Elle est très belle mais elle a une attitude très réservée. On ne parle pas avec un homme de cette manière.

– Comment ça «de cette manière»?

116

– On ne parle pas seule avec un homme. Maria a eu une éducation très stricte. Comme toutes les jeunes Espagnoles de la noblesse.

– Mais vous n'êtes pas seuls. Il y a beaucoup de monde autour de vous!

– Ça ne fait rien. Elle ne peut pas parler longtemps avec moi.

– Allons vers la fin de la soirée. Que se passe-t-il maintenant?

– Les gens s'en vont. Nous aussi. Je regarde Maria partir avec ses parents et son frère aîné. Nous repartons dans notre casernement mais je pense à elle. J'ai été frappé par la beauté de son visage. Elle a quelque chose de particulier.

– Avançons dans le temps. Est-ce que vous la revoyez?

– Je suis dans une petite ruelle sombre. Maria est là et à quelques mètres, se tient une femme d'un certain âge.

– Voulez-vous dire qu'elle est venue plus ou moins en cachette avec quelqu'un de confiance?

– Oui. C'est exactement ça.

– Que vous dites-vous?

– Moi je lui dis que je l'aime et que je voudrais la revoir.

– Comment réagit Maria?

– Elle est très nerveuse. Elle pleure un peu. Elle dit que rien n'est possible entre nous.

– Qu'allez-vous faire maintenant?

– Je ne sais pas. Je ne pense qu'à une chose : la voir. La revoir. M'enfuir avec elle.

– Allons un peu en avant dans le temps, jusqu'à la fin de cette histoire.

Pierre commença à s'agiter sur le divan, manifestement très ému.

– Maria ne peut plus sortir. Nous n'arrivons plus à nous voir. Il a été décidé qu'elle irait dans un couvent.

– Avez-vous eu des relations plus personnelles avec elle?

– Non. Mais nous nous aimons et elle l'a avoué à sa famille. C'est pour cela qu'on l'envoie au couvent.

– Qu'allez-vous faire?

– Je voudrais m'enfuir avec elle. Retourner en France ou aller ailleurs.

– Mais vous êtes un officier de Napoléon et vous êtes en guerre!

– Oui. C'est pour ça que je ne sais plus quoi faire. Je suis comme fou. Je pense tout le temps à elle, elle m'obsède. Et je ne peux pas la voir. J'essaie de lui faire passer des mots. Elle est cloîtrée.

– Je vais compter jusqu'à trois et nous allons nous retrouver à la fin de cette histoire. Nous saurons si vous allez vous enfuir avec Maria ou si vous allez être finalement séparés.

Je fis le décompte.

– C'est la nuit, dit Pierre, je rôde autour de la maison de Maria. Je viens très souvent ici. Je regarde l'endroit où elle vit. Il y a des gens qui approchent. Ils sont trois.

– Que ressentez-vous?

– Je sens un danger. Mais, c'est bizarre, ce ne sont pas des malandrins. Ils s'approchent de moi. L'un d'eux tire une longue épée. Je n'ai pas le temps de me défendre. La lame me brûle la poitrine. C'est le frère de Maria! Je le reconnais. Je tombe à terre. Les autres s'enfuient.

– Que ressentez-vous maintenant?

Pierre, sur le divan, pleurait.

– Je vais mourir. Il y a du sang partout. J'ai mal. Je me sens seul. Elle est à quelques mètres de moi et je vais mourir sans la revoir.

– Je vais compter jusqu'à trois et vous allez laisser ce corps là où il est. Vous allez passer de l'autre côté, après que le corps a cessé ses fonctions. Allez-y, passez de l'autre côté maintenant. (Je comptai jusqu'à trois.) Que ressentez-vous maintenant?

– Je flotte.

– Et votre corps?

– Je le vois. Il est en bas. Il ne bouge plus. Je vois aussi des gens qui viennent, qui se précipitent sur lui. Moi je monte, je monte encore.

– Très bien. Maintenant pouvez-vous faire le lien entre l'histoire de l'officier français et de Maria et celle de Pierre et Louisa?

– C'est l'Espagne qui les a séparés dans les deux cas: les contraintes sociales et culturelles. Ils n'étaient pas libres de s'aimer.

Je ramenai peu à peu Pierre à sa conscience normale.

– Comment te sens-tu?

– Quel voyage! C'était bien elle, j'en suis sûr! Et pourtant ce n'était pas Louisa, elle n'avait pas le même visage. La seule chose qui me gêne, c'est que finalement nous ne nous sommes pas beaucoup vus dans cette vie non plus!

– Il y a sans doute une raison karmique. On pourra essayer d'aller voir plus loin dans une autre séance si tu veux.

Je demandai aussi à Pierre s'il lui semblait voir d'autres correspondances entre sa vie et celle de l'officier.

– Non; pas vraiment. Si ce n'est que j'ai toujours été attiré par l'époque napoléonienne. Je suis même allé visiter Waterloo en Belgique et son champ de bataille. J'ai ressenti une incroyable tristesse en voyant la « morne plaine » dont parlait Victor Hugo!

– Et du côté de Louisa?

– Maria et Louisa sont toutes les deux espagnoles! Mais il me semble qu'il y a autre chose. Louisa avait reçu une éducation religieuse très stricte et en fait elle supportait assez mal la religion qui entravait sa liberté, disait-elle. Or il semble que Maria ait été enfermée dans un couvent. Peut-être même y a-t-elle fini ses jours?

Je revis Pierre une quinzaine de jours plus tard. Il avait accepté de faire une deuxième séance. J'en étais ravi car l'intensité de cette relation, en dépit du temps très court que les deux amoureux passaient à chaque fois ensemble, m'intriguait et me laissait augurer d'autre chose.

– Vous allez retourner, une fois encore, en arrière dans le temps lui dis-je. Bien loin dans le passé, à l'époque où vous et la femme que vous avez connue dans cette vie comme étant Louisa vous êtes rencontrés pour la première fois. Allez vers un événement important qui vous aidera à prendre pied dans cette vie-là, si, bien sûr, une telle vie existe. Que percevez-vous? Où êtes-vous là?

– Je suis sur un bateau.

– En mer?

– Oui. Mais je vois la côte tout près.

– Y a-t-il d'autres personnes avec vous sur le bateau?

– Oui. Nous sommes à peu près une quinzaine.

– Êtes-vous un marin ou un passager?

– Je suis un soldat. C'est un petit bateau qui transporte des soldats. Nous avons des lances. Je porte sur la tête une coiffe avec une espèce de crête blanche qui descend vers la nuque.

– Comment est la mer? Comment est l'environnement?

119

– Il fait très beau. La mer et le ciel sont bleus. Il fait bon. Je me sens très bien.

– Êtes-vous en guerre?

– Non. Pas du tout. Tout est calme. J'ai l'impression qu'il s'agit d'une tournée de routine : de la surveillance en mer. Nous rentrons. Je vois une ville blanche avec des espèces de collines basses et un port.

– A quoi cela vous fait-il penser?

– Au Moyen-Orient, peut-être, ou à la Grèce.

– Arrivons au moment où vous accostez dans le port.

– C'est très animé. Il y a des gens partout! des marchands, des échoppes, des enfants, des chiens. C'est très coloré, très vivant. Ça fait assez marché moyen-oriental.

– Que faites-vous maintenant?

– Nous traversons la ville et nous entrons dans un casernement. Il y a là des hoplites qui font de l'exercice.

– Attendez, vous avez dit que vous étiez au Moyen-Orient et il y a des hoplites?

– Finalement je crois que nous sommes en Grèce. Je pense à Alexandre. Je crois que je suis un soldat d'Alexandre.

– Mais vous n'êtes pas en guerre actuellement?

– Non mais il y a des rumeurs d'expéditions lointaines. Alexandre est en train de lever son armée.

– Êtes-vous un simple soldat ou avez-vous un grade?

– Je ne suis pas un simple soldat... Je ne suis pas un officier non plus. Peut-être ce que l'on appelle un sous-officier. Je sais que tout à l'heure je commandais l'espèce de barcasse avec la douzaine de soldats.

– Comment vous sentez-vous?

– Je me sens bien. Je me sens en accord avec moi-même. Je suis bien dans cette vie, dans cet environnement.

– Allez vers l'endroit où vous vivez.

– C'est ici que je vis, dans cette espèce de caserne. C'est ma famille, c'est chez moi.

– Je voudrais que vous vous branchiez sur vous et que vous me disiez dans quelle période de votre vie vous vous trouvez.

– Je me sens jeune, peut-être vingt ou vingt-cinq ans. Je me sens en pleine forme. Tout va bien. Tout est très gai ici : les maisons blanches, les gens...

Je décidai d'emmener le soldat d'Alexandre un peu dans le futur.

– Allez vers un moment où il se passe quelque chose.

– Je suis dans une petite ville en bas d'une colline. On voit la mer. C'est très beau. Il y a des oliviers. Je vois des gens qui montent vers un temple.

– Que faites-vous?

– Je suis avec deux autres soldats et nous allons aussi vers le temple. Je crois que nous allons rendre grâce aux dieux. Je ne sais pas trop.

– Arrivons au temple.

– Je suis au pied d'une volée de marches avec un certain nombre de gens. En haut des marches, il y a un prêtre. Il est habillé d'une longue robe et il s'adresse à la foule. Il a l'air très respecté : c'est le grand-prêtre. Il parle des dieux et de l'endroit d'où nous venons tous. Il parle aussi du Grand Passage.

– Vous voulez dire la mort?

– Oui.

– Y a-t-il d'autres personnes à côté du prêtre?

– Oui il y a des jeunes filles, assises. Elles écoutent aussi le grand-prêtre.

– Savez-vous qui elles sont?

– Ce sont des vestales. Elles sont élevées dans le temple. Elles sont là pour s'en occuper et surtout pour honorer les dieux. Certaines d'entre elles ont développé des dons de clairvoyance.

– Elles sont nombreuses?

– Une douzaine.

– Décrivez-les-moi.

– Elles sont toutes habillées pareil, d'une robe blanche. Elles ont les cheveux dénoués. Certaines ont mis des petites fleurs dans leurs cheveux. C'est très beau.

– Que ressentez-vous pour ces jeunes filles?

– Rien. Du respect. Ce sont les vestales du temple. Ce sont des vierges consacrées aux dieux. J'en vois une tout près du prêtre qui semble profondément dans ses pensées. Nos regards se croisent. C'est comme un choc. J'ai l'impression que je viens de voir le monde des dieux, pendant un instant.

– Avançons un peu dans le futur et voyons ce qui se passe.

– Il reste peu de monde. Le soleil est bas sur l'horizon et nous commençons à redescendre la colline. Le prêtre est toujours là et les vestales à côté de lui.

– Passeront-elles leur vie dans le temple?

– Certaines vont rester et d'autres vont partir vers d'autres temples. Quelques-unes vont devenir pythonisses : les dieux parleront à travers elles et elles rendront l'oracle. Je voudrais que mon regard croise encore celui de cette jeune fille.

– Avez-vous le droit de leur parler?

– Oui, nous pouvons leur parler mais pas les approcher au sens classique du terme.

– Voyons s'il se passe quelque chose d'autre. Vous disiez tout à l'heure que montaient des rumeurs de guerre et d'expéditions. Allez vers un événement qui nous permettra de plonger plus profondément dans cette vie grecque du temps d'Alexandre le Grand.

(Car il s'agissait bien de l'époque qui vit le début de la conquête de la vallée de l'Indus par Alexandre.)

– Je suis revenu au temple. J'ai retrouvé la jeune fille. Nous parlons tous les deux.

– De quoi parlez-vous?

– De choses et d'autres. Je la trouve très belle. Elle est différente des jeunes filles et des femmes que j'ai connues jusqu'à présent. Il émane d'elle quelque chose de très puissant et de très doux en même temps.

– Quelle est son attitude à votre égard?

– C'est un peu drôle. Comme si elle n'avait pas l'habitude. Je lui parle de moi, de ma vie, de mes campagnes. Je lui dis que nous allons bientôt tous partir au-delà de l'horizon.

– Allons encore vers le futur et essayons de savoir si vous revoyez cette jeune fille.

– Il fait nuit. Nous sommes assis tous les deux au pied d'un olivier, tout près du temple.

– Y a-t-il du monde autour de vous?

– Non, j'ai l'impression que nous nous voyons en cachette. Nous sommes très attirés l'un par l'autre. C'est plus fort que nous.

– Que ressentez-vous?

– Je me sens coupable. C'est une vestale, une vierge sacrée. Mais il faut que je la revoie. J'en ai besoin. Nous parlons des dieux, des étoiles, du sens de la vie, des choses dont je n'avais presque jamais entendu parler auparavant.

– Et elle? Quelle est son attitude?

– Elle est un peu gênée. En même temps elle est très intéressée par ce que je lui raconte moi sur la vie « d'en bas », la vie de tous les jours. Je sens que ça l'attire.

– Que faites-vous maintenant?

– Je lui prends la main et elle ne me la refuse pas. Je sens comme un immense frisson entre nous deux. Je la prends dans mes bras. Je l'embrasse. Elle a peur et moi aussi. J'ai le cœur qui bat comme un malade. Et je pense que nous sommes fous. Si on nous découvre nous serons exécutés tous les deux. Mais je l'aime, je le sais. Elle aussi, elle m'aime. Nous sommes devant un mur. Mais je la tiens dans mes bras et je suis heureux.

– Pendant qu'elle est là, entre vos bras, je voudrais que vous me disiez si vous connaissez cette personne dans votre présent.

– Oui, c'est Louisa. C'est encore elle.

– Qu'allez-vous faire?

– Je ne sais pas. Je pense que nous allons nous enfuir. C'est fou, mais nous allons le faire.

– Avançons encore dans le futur.

– Je suis avec elle. Je ne sais pas où. Il fait plus chaud qu'avant. Je vois des arbres.

– Combien de temps s'est-il écoulé depuis la dernière fois?

– Quelques semaines, peut-être un mois ou deux. Nous nous sommes enfuis.

– Qu'êtes-vous en train de faire maintenant?

– Nous entrons dans une maison. C'est là que nous avons trouvé refuge, un peu à l'écart d'un petit village.

– Comment est la maison?

– Très simple, faite avec de la paille et de la chaux.

– Qu'allez-vous devenir?

– Je ne sais pas. Nous allons essayer de vivre ici.

– Avancez encore dans le futur.

– Nous sommes toujours dans la maison. Arna a une petite fille. Elle est heureuse.

– Qui est Arna?

– Ma femme. Je l'aime.

– Que faites-vous pour vivre?

– Je coupe du bois, je le sculpte. Je ramasse des plantes. C'est une toute petite vie mais nous sommes heureux. Je fais aussi un peu de poterie, mais rien de très important.

– Vous êtes tranquilles là? Vous ne courez aucun danger?

– Nous continuons à faire très attention mais je pense que tout danger est écarté.

– Avez-vous d'autres projets?

– Nous attendons que la petite fille grandisse puis nous essaierons de retourner vers une ville plus importante où je pourrai trouver un vrai travail.

– Êtes-vous loin de la ville au bord de la mer?

– Oui, je crois. Nous avons beaucoup, beaucoup, marché.

– Allons dans le futur et voyons maintenant ce qui s'y passe. Êtes-vous toujours dans ce village avec Arna ou déjà dans une autre ville?

Sur le divan, Pierre s'agita soudain, violemment ému:

– Les soldats sont là! Ils viennent chercher Arna. Ils sont une vingtaine. Je ne peux pas me défendre. Arna hurle. On lui arrache le bébé des bras. J'essaie de m'élancer. Ils me rouent de coups. Ils ont attaché Arna. Ils l'emmènent. Je ne veux pas. Ils me tiennent! Ils sont trois. Un autre s'approche. Il lève son glaive. Il m'a traversé la poitrine. Je tombe. Je crie. Tout se brouille. Je vois un soldat avec le bébé qui hurle dans ses bras et Arna qu'on traîne. Je sens une autre brûlure terrible dans le dos. C'est fini. Je flotte au-dessus de la scène. Arna que vont-ils te faire? Je reste là quelques instants encore. Et je me sens monter. Une grande paix m'envahit.

Ainsi le drame de l'amour impossible entre Pierre et Louisa s'était-il noué là, entre le soldat d'Alexandre et Arna, la vestale promise aux dieux. Ici s'était formé le lien karmique. Ramené à sa conscience normale, Pierre s'interrogeait: « Crois-tu que Louisa et moi nous sommes encore retrouvés dans d'autres vies que ces deux-là? »

Je lui répondis qu'il avait dû y en avoir d'autres et notamment entre ces deux-là. D'après mon expérience, il me paraissait plus que certain, en effet, que l'un et l'autre s'étaient réincarnés plusieurs fois dans ce laps de temps. Il y avait aussi de fortes chances pour qu'ils se soient alors retrouvés. Peut-être n'avaient-ils pas vécu, dans ces vies, la même relation. Peut-être y avaient-ils même été des parents, des amis ou de simples compagnons de route, plutôt que des amants. Ce qui semblait certain, c'est que Pierre était appelé aujourd'hui à se détacher définitivement de son karma avec Louisa.

Voilà une leçon du karma qui risque de paraître bien rude

et qui mérite quelques commentaires. Concernant l'avenir tout d'abord : Pierre et Louisa vont-ils enfin pouvoir s'aimer librement dans une vie future ou, ayant liquidé leur karma commun n'ont-ils plus rien à faire ensemble?

Je pense qu'à partir du moment où le processus de compréhension a été entamé, il y a toutes les chances pour que Pierre et Louisa se rencontrent, enfin, pour de bon, dans une incarnation prochaine. Après tout, c'est ce qu'ils cherchent depuis des millénaires!

On peut aussi se demander, tant les situations de Pierre et Louisa sont proches de celle de l'officier français et de Maria : lui français et plus âgé qu'elle; elle, espagnole et élevée de façon stricte, avec le poids et l'autorité de sa famille sur elle, etc. si Pierre n'a pas fantasmé, s'il ne s'est pas entièrement projeté dans cette histoire.

Et certes, la question mérite d'être posée mais elle est ici sans fondement. Lorsque quelqu'un qui est passionné par l'Égypte, sa civilisation, son histoire, rapporte en état d'expansion de conscience une vie en Égypte, ce n'est pas qu'il a fantasmé à partir de ses connaissances et de ses goûts; c'est exactement l'inverse : parce que cette personne a vécu autrefois en Égypte elle est passionnée par tout ce qui a trait à ce pays dans sa vie présente.

Car comme dans la danse de Shiva, déesse du temps, les lieux, les événements et les êtres humains se croisent et s'entrecroisent indéfiniment, tandis que les siècles et les millénaires s'écoulent.

Ainsi, comme Pierre et Louisa, certains êtres qui s'aiment, qui se sont déchirés dans le passé, continuent-ils à se déchirer aujourd'hui. C'est qu'il leur faut encore apprendre, encore comprendre pour pouvoir évoluer. D'autres ont atteint ensemble le point de non-retour. Ceux-là vont devoir aller apprendre ailleurs, auprès d'autres êtres, ce qu'est la vibration essentielle de l'Amour. D'autres se cherchent encore. Mais tous, quel que soit notre chemin particulier et le stade de notre évolution, nous sommes appelés à dépasser nos peurs pour apprendre à aimer. C'est là le but de notre existence et c'est cette recherche de l'amour inconditionnel qui nous pousse à renaître encore et encore, à nous rhabiller sans cesse de tissu humain. La plupart des gens ne sont pas conscients de cela. Et pourtant beaucoup cherchent désespérément le sens de leur existence. C'est que – comme nous le montre l'étude des mouvements cycliques de l'humanité selon la tradition orientale – nous traversons actuellement le dernier âge d'un cycle, l'âge de fer, l'âge sombre où l'homme ne connaît et ne veut reconnaître que la réalité terrestre, matérielle et non son destin d'amoureux éternel. Un monde où l'amour n'a pas sa place. Et la femme non plus. Voilà des siècles déjà que la femme, la mère, l'épouse sont reléguées au second rang, cantonnées au rôle de spectatrices. Combien de fois, en écoutant mes « voyageurs » me raconter le « fond des âges » ou en me rendant moi-même dans le passé, n'ai-je pas éprouvé de tristesse pour ces compagnes, ces mères, à qui les hommes ont tant fait subir, à commencer par les guerres qui déciment ce peuple humain qu'elles mettent au monde. Et pourtant dans cet âge noir que nous vivons se dessine un éveil graduel des consciences, une remontée vers la lumière dont nous parlent d'ailleurs les légendes : ces mêmes légendes qui nous racontent la fermeture des hommes au monde spirituel ou la mise à l'écart de la femme et des valeurs qu'elle incarne : la légende d'Avallon ou de la patrie des femmes et celles du Roi pêcheur et du Graal. Toutes nous disent, symboliquement, que la renaissance de l'humanité passe par la reconquête d'un état de conscience différent.

Il semble que dans ces époques charnières de l'histoire de l'humanité, un grand nombre d'êtres qui se sont connus dans le passé choisissent de se réincarner ensemble. C'est vrai individuellement; c'est aussi vrai pour des groupes entiers de personnes qualifiés pour cette raison de « groupes karmiques ». Ainsi, comme on va le voir au chapitre suivant, de tous ceux qui se « reconnaissent » ou se trouvent en affinité avec des civilisations aujourd'hui englouties et auxquelles vraisemblablement ils ont tous appartenu.

Après chacune de mes conférences, il y a toujours son débat, disons une période de discussion, qui permet à chacun de poser ses questions. Puis les gens s'en vont, mais comme toujours dans ces cas-là, demeure un petit noyau de personnes qui font groupe autour de l'estrade pour poser des questions plus personnelles ou tout simplement par désir d'établir un contact direct avec le conférencier. Au printemps 1987, j'ai effectué une tournée de conférences de présentation de mon premier ouvrage, avec Marguerite, dans le Midi de la France. Pendant l'une de ces conférences, tout en parlant, je sentais mon regard attiré vers le côté droit de la salle. Il y avait là un petit groupe de personnes qui semblaient être venues ensemble, rien de plus. A la fin de la soirée, comme il ne restait presque plus personne, je vis le groupe s'approcher du podium et je ressentis tout à coup un amusement, une joie, je ne savais pas trop comment définir ce sentiment qui m'envahissait. Parmi ces gens, se trouvait une jeune femme blonde accompagnée de son mari, un homme au regard franc, ouvert, qui se montra aussitôt très curieux des thèmes que j'avais développés. J'entamai donc une discussion, principalement avec lui. La jeune femme écoutait tout en me regardant et en émettant une aura de grande amitié. Et j'eus soudain la certitude que je les connaissais déjà tous les deux et surtout la jeune femme au regard enveloppant. Mais je ne parvenais pas à mettre un nom sur leurs visages ni à retrouver les circonstances d'une éventuelle rencontre précédente. J'en étais là de mes pensées lorsque la jeune femme, comme si elle m'avait entendu, me dit doucement : «Cela fait longtemps, si longtemps, c'est bon de se revoir.» Et les larmes lui montèrent aux yeux. A cet instant j'eus l'impression que ma mémoire s'ouvrait littéralement en deux et je vis, sous mes yeux, défiler une fois encore la grande migration celte conduite par Rama dont je n'ai pas parlé ici mais qui faisait partie de la vie de Govenka, la grande prêtresse. Là, dans une salle du Midi de la France, je vis de nouveau passer lentement la colonne interminable des guerriers, des hommes, des femmes, des enfants et des chevaux en marche vers l'est, en marche vers leur destin solaire! Et en même temps que je ressentais en moi la présence immense de Govenka, je sus avec certitude que les deux êtres qui se tenaient là devant moi faisaient aussi partie de cette foule en marche. Puis tout s'effaça. Il s'était à peine écoulé quelques secondes. Je ne dis rien. Je n'ai jamais su qui étaient ces gens. Je ne connais pas non plus leur nom. Compagnons du passé, peut-être vous reconnaîtrez-vous à travers ces lignes. Sachez que j'ai aimé vous revoir et que je pense souvent à vous.

Il arrive que des amis ou des proches, qui suivent le même cheminement que le mien, me demandent : «Nous sommes-nous connus dans une vie antérieure? » C'est une question à laquelle je réponds rarement. Chacun doit trouver sa propre réponse. Mais il est définitivement vrai que j'ai retrouvé des êtres du passé dans ma vie présente. Je me souviens de cette jeune femme qui, dans un séminaire d'été, décrivait en Atlantide une habitation claire, lumineuse et qui disait en pleurant : « C'est beau. C'est chez moi. Je le sais, je suis revenue chez moi. » Ce qu'elle dépeignait, je l'avais décrit trait pour trait plusieurs années auparavant, à Chicago, à Gregory Paxson, lors d'un voyage dans le passé. Je me rappelle aussi cet homme qui retrouva une vie au XIᵉ siècle, au moment de la conquête de l'Angleterre par Guillaume le Conquérant. Il avait un ami, un « frère » qu'il retrouva plus tard, dans une autre vie, au XVᵉ siècle à Prague. Ami, t'en souviens-tu?

Car les amants du passé ne sont pas les seuls à se rejoindre par-delà les barrières du temps. Les amis, les frères, les parents, les compagnons de jadis se retrouvent aussi, ombres lumineuses du passé surgies dans le présent [1]. Ils ont été soldats sur le même champ de bataille, habitants d'un même village; ils sont morts, croisés en Terre sainte ou voyageurs de rencontre détroussés et tués au hasard d'une route, ils étaient marchands, paysans, guerriers, prêtres ou bandits (rarement rois, Césars ou vizirs). Ils se croisent en ce XXᵉ siècle et à travers eux ressuscitent les sociétés du passé. Une anecdote à ce sujet. En janvier 1986, à l'hôtel *Intercontinental* à Paris, deux jeunes stylistes présentèrent une collection pour l'été fort remarquée : toute de soieries, de drapés, de couleurs éclatantes, de broderies qui rappelaient beaucoup les fastes de l'ancienne Chine impériale. Or, celui qui l'avait dessinée, Didier Lecoannet (avec son associé Hémant Sagar) avait fait l'année précédente un voyage dans ses vies passées avec moi dont il avait ramené une vie à la cour impériale de Chine au siècle dernier où il connaissait fort bien toutes ces étoffes et ces parures. C'est les visions qu'il avait eues alors qui lui avaient inspiré sa collection, je me permets de le dire puisque lui-même avait raconté cette histoire sur les ondes de France-Inter. Cette digression pour signaler qu'il n'est pas rare que l'on trouve dans des vies

---

1. Il arrive relativement fréquemment que les membres d'une même famille se réincarnent ensemble, même si les liens de parenté sont souvent bouleversés, le père devenant le fils, etc.

antérieures l'explication de certains dons et talents actuels. De même que certains talents inconnus peuvent se réactiver, venir au jour, à la suite d'un voyage dans le passé.

L'histoire qui suit date un peu puisqu'elle remonte à 1982, au temps où j'habitais aux États-Unis. C'est celle de Paddy, un jeune Américain qui était venu me voir pour savoir quels étaient les liens qui l'unissaient à son épouse du présent, prénommée Mary. En même temps il désirait comprendre pourquoi il était attiré par une autre dimension, plus spirituelle, de l'existence. Paddy et Mary étaient mariés depuis plusieurs années. Ils avaient un enfant en bas âge et étaient profondément heureux. Une fois les instructions données et le rituel préparatoire accompli, je demandai donc à la conscience de Paddy qui sortait du tunnel de sentir son corps du passé. D'une voix lente, hésitante, Paddy me répondit peu à peu :

– J'ai des sandales aux pieds. Mon torse est celui d'un homme. Je suis mince. J'ai des cheveux longs, gris, jusqu'aux épaules. Je sens aussi une barbe et une moustache longues.

– En promenant vos mains sur votre corps, comment ressentez-vous la texture de vos habits?

– J'ai une robe longue, blanche, douce et confortable.

– Réalisez l'endroit où vous vous trouvez.

Là encore, Paddy laissait sa conscience s'ouvrir lentement :

– Je suis au-dehors. C'est l'automne. Les feuilles sont jaunes. Je suis dans une clairière en pleine forêt, assis sous un arbre. Il s'agit d'un chêne magnifique. Je sens sa vibration ainsi que celle d'une petite source qui coule tout près. Il y a aussi un oiseau. J'essaie de comprendre ce qu'il dit. J'aime sa forme de vie qui a sa conscience propre, comme toutes les autres formes de vie qui m'entourent. Nous venons de la même source.

– Que sentez-vous dans votre corps tandis que vous éprouvez cet amour pour l'oiseau et cette communion avec tout ce qui vous entoure?

– Je sens une énergie intérieure dans ma poitrine, dans ma gorge; mais aussi une lassitude. J'ai envie de pleurer.

– Que se passe-t-il maintenant?

– Je suis à quelques mètres de la source. Par moments, on dirait que l'eau devient comme du feu et de l'or.

– Est-ce un reflet du soleil?

– Non. C'est la source elle-même. Je ne vois pas cela avec mes yeux physiques. J'ai l'impression d'avoir d'autres yeux qui perçoivent d'autres choses. Je dessine des arabesques dans le ciel avec mes mains. Ce sont comme des signes. Je ne sais pas pourquoi je fais cela. J'ai des mains fines. Je crois que je suis un sage. J'essaie de comprendre et de transmettre un enseignement. Je sais que beaucoup de gens sont malheureux. Je ressens leur malheur. Je tente de leur expliquer qu'il y a d'autres valeurs que celles du plan physique mais ils sont confinés dans leur corps.

Je vois surgir l'image d'une femme, ajouta soudain Paddy. Je suis toujours dans la clairière mais cette femme est là, dans ma tête. Elle a un visage doux, des yeux bruns. Je ne sais pas si c'est ma femme ou ma fille mais je la sens proche. Elle est avec moi, dans mon cœur. Je crois que c'est mon épouse.

– Essayez un peu d'explorer cette vie, lui demandai-je. Où habitez-vous? Que faites-vous?

L'image bascula.

– Je suis chez moi. C'est une maison toute en bois. Je suis assis sur un banc. Ma femme m'apporte du pain noir. Elle a de longs cheveux noirs. Elle est plus jeune que moi.

Et Paddy, allongé, montra les signes d'une émotion vive:

– C'est elle. C'est aussi Mary. L'amour que j'ai pour elle existe depuis des milliers d'années. Je le sais consciemment dans cette vie-là: nos âmes se croisent et se recroisent à travers le temps, sans arrêt.

– Y a-t-il d'autres personnes dans cette maison de bois?

– Oui, il y a des parents, des amis. J'ai l'impression que c'est le repas du soir. Les gens ici semblent solides. Ils sont grands. Je sais où nous sommes! s'exclama soudain Paddy, nous sommes en Bretagne!

Et il se mit à pleurer.

«Nous sommes en Gaule. Les envahisseurs romains arrivent. Ils veulent tout détruire: notre culture, les croyances de nos ancêtres. Ils veulent nous imposer leurs dieux. Nous, nous croyons à la conscience de l'arbre et à l'amour du ciel. Je suis un prêtre celte, un druide.»

«Je m'appelle Per-An», ajouta-t-il sans que je lui aie demandé quoi que ce soit et manifestement sans avoir fait aucun effort pour que ce nom surgisse de sa mémoire.

130

Et sans que, de nouveau, j'aie eu à intervenir, l'image bascula :

« Je vois un village en flammes. Les hommes combattent. Je suis au milieu d'eux comme le font toujours les druides au combat. Je prie, comme nous prions, pour amener le feu du ciel dans le cœur des guerriers. C'est pourquoi les Romains ont reçu la consigne de nous tuer. Car les guerriers nous écoutent. Mais les autres sont trop nombreux et si brutaux. Les hommes meurent autour de moi et je souffre pour eux. Tant d'hommes sont morts un peu partout dans d'autres villages en flammes. Tant de femmes ont été emmenées en captives à Rome. Vercingétorix lui-même notre chef a été traîné à Rome... »

« J'ai compris maintenant, ajouta-t-il. Lorsque ma conscience est entrée dans cette vie tout à l'heure ; lorsque je me suis retrouvé méditant sous le chêne, tout était déjà consommé. Je suis encore un être libre mais le vieux monde a basculé. Les Romains sont partout. Nous avons fui dans les forêts profondes. »

Paddy était revenu dans la clairière. Il vit Per-An se lever de sous son chêne, s'enfoncer dans la forêt et arriver dans un petit village.

– C'est un village pauvre, fait de bois et de chaume, et pourtant c'est confortable. On est en train d'y célébrer une fête. C'est la nouvelle année. J'explique aux enfants rassemblés autour de moi que nous fêtons une renaissance : les années meurent et renaissent comme les fleurs, comme les hommes...

Il s'arrêta soudain. Encore une fois, la vision paisible se changeait en drame. Les soldats romains venaient d'entrer dans le village. Paddy vit Per-An tomber à terre, une lance fichée dans le dos. Il vit aussi sa femme s'effondrer à ses côtés touchée par un glaive.

« J'ai transmis le message, dit-il, en mourant j'ai fait ce que je devais faire. Je sens l'âme de ma douce qui flotte près de moi, et d'autres avec elle. Nous montons tous ensemble. C'est comme si nous ne pouvions jamais nous séparer. Je sais qu'un jour nous reviendrons encore dans un corps de chair pour apprendre et évoluer... »

Ainsi s'achevait l'histoire de Per-An, le druide, en qui était aussi inscrits, comme d'autres régressions l'ont montré, les souvenirs d'un chasseur de l'âge de pierre, d'un « enseignant de cristal » et d'autres encore. Mille six cents ans plus tard, l'énergie non incarnée de Per-An devait inspirer Ulrich de Mayence, l'un des personnages les plus énigmatiques du Moyen Âge, qui rencontra un jeune étudiant en médecine, Michel de Nostre Dame, le futur Nostradamus, dont il deviendra le maître et l'initiateur.

Et Ulrich, en parlant de cette énergie non incarnée qu'il avait perçue dans un état visionnaire, l'appellera l'Innombrable.

Voilà qui nous conduit à parler maintenant de ces vies particulières que l'on appelle les vies spirituelles.

Chapitre 7

LES VIES SPIRITUELLES, L'ATLANTIDE

Il arrive que les voyages temporels mettent à jour des éléments disparus de certaines civilisations. C'est particulièrement vrai lorsque la personne qui régresse vers son passé le fait à partir d'une interrogation spirituelle. En ce cas, nombre de régressions débouchent alors sur des vies marquées du sceau de la quête spirituelle ou vouées à l'exercice d'un pouvoir spirituel : des vies de prêtres ou de prêtresses, de moines ou de yogis... Or à travers elles ce sont souvent des pans entiers de la tradition ésotérique qui se révèlent, qu'il s'agisse de ses grands courants orientaux ou occidentaux.

Ainsi m'a-t-il été donné tout au long de ces années – comme à beaucoup d'autres chercheurs – de rencontrer nombre de vies de druides, de cathares, de templiers, pour ce qui est de la tradition occidentale; de Tibétains et de yogis, principalement, pour ce qui est de la tradition orientale, mais aussi de disciples du taoïsme et d'autres courants japonais. Et si l'on remonte encore dans le temps, c'est l'Égypte millénaire qui surgit et avant elle le continent perdu et réputé mythique de l'Atlantide.

Ces voyages dans les vies spirituelles ont pour effet – je l'ai bien souvent constaté – de permettre à la personne du présent une ouverture de conscience assez importante. Cela a été vrai pour moi avec Govenka. Comme je l'ai dit, ma recherche a considérablement changé après que j'ai revécu la vie de cette prêtresse celte.

A la suite de la parution de *Nous sommes tous immortels*, plusieurs personnes m'ont malicieusement demandé comment je me sentais par rapport à Govenka et à ses immenses possibilités, sous-entendu : « Vous n'avez pas l'impression d'avoir un peu régressé depuis ? » En fait Govenka s'était exprimée à travers ma bouche en disant : « Je suis lui et il est moi. A partir du moment où il aura retrouvé le chemin de lui-même, de son corps astral, il aura retrouvé la connaissance de son passé qui y est inscrite. » C'était vrai. Lorsque je me laisse profondément aller, en méditation ou en d'autres occasions semblables, je sens vibrer en moi cette femme et ses possibilités redeviennent les miennes. Et j'ai bien souvent constaté la même chose chez d'autres personnes. Les yogis enseignent que lorsqu'un être humain ouvre sa conscience il rencontre ce qu'ils appellent les « siddhis » et que la parapsychologie appelle les dons paranormaux : des phénomènes de clairaudience, de clairvoyance, la vision éthérique, etc. Mais tous les enseignements orientaux insistent sur un point : il s'agit là d'une étape normale de l'éveil de conscience d'un être incarné et il ne faut surtout pas s'y arrêter. L'erreur que commettent beaucoup de gens est de se laisser éblouir par ce qui s'active alors en eux et d'en rester là. Or d'autres étapes les attendent, jusqu'à l'étape ultime, la fusion de la conscience humaine dans la conscience divine que vise le yoga et qu'il appelle « Samadhi ».

Les voyages temporels dans des vies spirituelles sont des sources de connaissance des traditions ésotériques d'autant plus précieuses que ces traditions ont été perdues. C'est le cas pour les rites et en général l'initiation druidique. Ce que l'on sait d'eux aujourd'hui est infime, malheureusement, par rapport à l'immense connaissance qu'ils véhiculaient. L'enseignement était donné exclusivement par tradition orale et par les druides, bien entendu. Or pendant l'invasion romaine ceux-ci furent décrétés hors la loi et exécutés : les Romains arrivaient avec leurs propres dieux. (Souvenons-nous de l'histoire de Paddy et Mary.) Ensuite s'instaura ce que l'on a appelé la civilisation gallo-romaine. Vers la fin du IIIᵉ siècle et le début du IVᵉ siècle, lorsque le christianisme commença à s'implanter en Gaule, les druides qui restaient encore se réfugièrent au fond des forêts et l'enseignement classique s'abâtardit au fur et à mesure de sa transmission, jusqu'à disparaître. On en a pourtant retrouvé des traces encore au Xᵉ siècle dans certaines contrées de France et d'Angleterre. On sait aussi que les romans de la Table Ronde ont leurs racines dans une lointaine tradition druidique perdue. Mais on n'en sait guère plus. Or un certain nombre de personnes en état d'expansion de conscience (et parmi elles Paddy dans une séance ultérieure) ont décrit l'initiation et les rites druidiques.

Il semble que l'initiation s'étalait sur un grand nombre d'années : trente ou quarante ans, selon la majorité des témoignages. Mais ces années ne concernaient que la partie « terrestre » de l'enseignement. Ensuite, pour parachever son initiation, l'apprenti druide devait passer sur un autre plan, c'est-à-dire acquérir la maîtrise du voyage hors du corps – ou voyage astral. Cette nécessité de passer à un moment donné de « l'autre côté » n'a rien pour surprendre puisqu'on la retrouve dans beaucoup de traditions connues à commencer par la tradition alchimique. A la recherche du Grand-Œuvre, de la Pierre Philosophale qui va lui donner la clef de l'immortalité, le disciple est en effet censé passer d'abord par l'étude des livres et des grimoires avant de se lancer dans l'expérimentation et de pratiquer lui-même ses mélanges dans le grand alambic qu'on appelle l'athanor. Mais qu'il travaille alors dix, vingt ou trente ans, un jour viendra où il butera sur le dernier élément, celui qui précisément lui manque pour parachever le Grand-Œuvre. Et ce dernier élément, dit la tradition cachée, il faut aller le chercher de l'autre côté, dans les mondes de lumière où il se trouve et le ramener dans le monde incarné.

De même, dans le rite égyptien de la mort initiatique qui comprend huit étapes, le disciple est-il invité, à la cinquième étape, à s'allonger dans un sarcophage, dans une crypte. Il se livre alors à des exercices de respiration, le prêtre étant à ses côtés, jusqu'au moment où maître et disciple sortent tous les deux de leurs corps et montent ensemble vers le monde des dieux l'un guidant l'autre. Lorsqu'il « revient », l'élève est devenu à son tour un initié, un « maakherou », celui qui est « né deux fois », qui a visité le royaume des morts et transcendé ses limites terrestres, un justifié vivant, parce qu'il a accompli en lui-même le Grand-Œuvre.

Très fréquemment, les personnes qui revivent une vie de druide font allusion à l'existence d'un bouclier astral. Ce bouclier – d'énergie pure puisée dans le monde de l'invisible

– servait, semble-t-il, aux druides pour se protéger contre les agressions extérieures. Il les entourait comme une coque. Voilà, penseront certains, qui fait très science-fiction. Sans doute pour mieux comprendre ce dont il s'agit faut-il se souvenir de certains épisodes de la vie des saints où l'on voit ceux-ci miraculeusement préservés (du feu du bûcher, des lions, des flèches, etc.) par une invisible protection spirituelle.

On peut, bien entendu, se demander pourquoi, alors, ce bouclier astral n'a pas fonctionné pendant la conquête des Gaules par Jules César! Sans doute parce que l'histoire est faite de cycles et qu'il était l'heure pour les druides de passer dans les replis cachés du temps et d'apporter désormais leur connaissance aux hommes d'une autre manière.

On retrouve aussi l'expérience du voyage astral dans nombre de récits sur l'Égypte rapportés en expansion de conscience. Du reste, aux côtés des descriptions classiques des pyramides et de la vie au temps des pharaons, les voyageurs égyptiens rapportent parfois des récits étranges qui ne correspondent à rien de connu mais semblent, en revanche, s'accorder avec la thèse que développe Albert Slosman[1]: l'Égypte serait l'héritière directe de l'Atlantide et le mot «Égypte» proviendrait d'une déformation de «AHA-KA-PTAH» qui signifie «le deuxième cœur de Dieu»; le «cœur aîné de Dieu», «AHA-MEN-PTAH», étant à l'origine du mot «Atlantide».

Ce «premier cœur de Dieu», cette Atlantide qui a tant fait parler d'elle et déchaîné tant de polémiques est, il faut bien le dire, au centre de nombre de souvenirs rapportés en état d'expansion de conscience. Étrange pour un continent que l'on dit «mythique»? Mais comme le rappelait Jean-Yves Casgha dans un ouvrage qui tentait de faire le point sur la question[2], on recense aujourd'hui environ vingt mille ouvrages écrits sur l'Atlantide. Pour un continent mythique cela fait tout de même beaucoup!

Parce que je ne reviendrai pas sur l'Atlantide dans un autre livre, je voudrais faire ici un certain nombre de remarques. Si l'on en croit les textes anciens – à commencer par la Bible, les dialogues de Platon et les légendes de Chal-

1. *La grande Hypothèse*, Robert Laffont.
2. *Les Archives secrètes de l'Atlantide*, Éd. du Rocher.

dée – mais aussi de plus récentes études archéologiques, historiques, géologiques, on peut émettre les hypothèses suivantes :

– Il y a bien longtemps existait dans l'océan Atlantique une grande île qui était elle-même tout ce qui restait d'un vaste continent du monde antique (plusieurs dizaines de milliers d'années) connu sous le nom d'Atlantide.

– La description que donne Platon de cette île et le récit qu'il fait de cette civilisation ne relèvent pas du mythe mais de l'histoire.

– A travers les âges, s'est développée une civilisation extrêmement évoluée en Atlantide. Celle-ci s'est étendue du golfe du Mexique, de la rivière Mississippi, de l'Amazone et de toute la côte sud-américaine atlantique aux côtes européennes et africaines de l'Atlantique, à la Méditerranée mais aussi à la mer Baltique, la mer Noire et au-delà encore, à la mer Caspienne.

– L'Atlantide a été le berceau de toutes les civilisations. Elle est à l'origine de tous nos arts, de toutes nos sciences et de toutes nos croyances fondamentales.

– L'Atlantide était le véritable monde antédiluvien dont parlent toutes les traditions : le jardin d'Éden, celui des Hespérides, les Champs Élysées, l'Olympe, l'Asgard. Elle demeure dans la mémoire universelle le grand pays où l'espèce humaine a évolué en paix.

– Les dieux et les déesses des Grecs anciens, des Phéniciens, des Hindous et des Scandinaves étaient simplement des rois, des reines et des héros de l'Atlantide. Les actes que les différentes mythologies leur attribuent sont en fait tissés de souvenirs confus d'événements historiques réels.

– Les mythologies de l'Égypte et du Pérou sont une traduction de la religion originelle atlante qui était l'adoration du soleil.

– L'une des colonies les plus prospères formées par les Atlantes a probablement été l'Égypte dont la civilisation a reproduit celle de l'Atlantide.

– L'alphabet phénicien, parent de tous les alphabets européens, était dérivé de l'alphabet atlante qui a été transmis par l'intermédiaire des Mayas d'Amérique centrale.

– L'Atlantide a été le berceau des races aryennes ou indo-européennes, sémites et peut-être aussi touraniennes.

137

– L'Atlantide a péri dans une terrible convulsion de la nature : elle a plongé dans l'océan il y a douze mille ans et toute sa civilisation ou presque a été engloutie avec elle.

– Quelques rescapés qui avaient pu s'échapper sur des bateaux et des barcasses de fortune ont propagé dans toutes les nations occidentales et orientales le récit de la catastrophe. Il est parvenu jusqu'à nous à travers la légende du déluge.

Il faut noter à ce propos que la Bible n'est pas seule à faire état du déluge. On retrouve celui-ci dans absolument toutes les traditions : chez les Indiens d'Amérique du Nord, notamment les Cherokees et les Hopis, comme chez ceux d'Amérique centrale et d'Amérique du Sud, comme d'ailleurs dans les îles lointaines du Pacifique.

Que l'Atlantide soit, depuis des millénaires, considérée comme un continent mythique et tout ce qu'on a rapporté à son propos comme une fable, ne prouve rien. Pendant deux mille ans on a raconté les « légendes » des cités englouties de Pompéi et d'Herculanum sans douter un seul instant qu'il ne pouvait s'agir d'autre chose que de mythes, de « cités fabuleuses ». Il a fallu deux mille ans aussi pour que le monde civilisé, qui n'accordait aucun crédit aux récits d'Hérodote sur les splendeurs des anciennes civilisations du Nil et de la Chaldée, finisse par reconnaître leur existence, géographes en tête, au début de notre siècle.

Dans la même veine, on a longtemps mis en doute le fait que les Égyptiens avaient pu mener à bien une expédition maritime autour de l'Afrique dans l'Antiquité. Car, disait-on, les explorateurs égyptiens affirmaient qu'après avoir progressé pendant un certain temps, ils avaient trouvé le soleil au nord par rapport à eux. Ce point précis qui fit lever à l'époque toute la suspicion sur la réalité de l'expédition, constitue aujourd'hui pour nous la preuve que les navigateurs égyptiens avaient bel et bien passé l'Équateur et par conséquent anticipé de deux mille ans sur Vasco de Gama et sa découverte du cap de Bonne-Espérance.

Quoi qu'il en soit, ces hypothèses sur l'Atlantide, si elles font figure de folles aux yeux de certains, elles apparaissent en revanche tout à fait sages quand on les compare aux récits que rapportent de leur vie atlante les voyageurs du passé. Ainsi du récit de cette jeune femme qui, désirant retrouver une vie où le spirituel avait été prépondérant, revécut ce pan de vie en Atlantide :

– Je suis assise dans une espèce de grande pièce. Le plafond est formé d'un dôme à travers lequel passe le soleil.

– Savez-vous où vous êtes?

– Non, mais je sais que je suis là pour apprendre.

– Apprendre quoi?

– Le sens de la vie, notre philosophie propre. Ici, c'est une espèce d'école de pensée.

– Qu'allez-vous faire une fois que vous aurez fini d'apprendre?

– Je pense que j'irai enseigner à mon tour.

– Cet enseignement philosophique?

– Pas seulement philosophique. Nous apprenons les choses de la vie : l'énergie de la pensée, l'énergie du cristal, comment nous en servir. Nous sommes peut-être une cinquantaine, tous jeunes rassemblés autour du vieux maître qui nous enseigne. Il a un grand cristal à côté de lui... Mais ce n'est pas un enseignement austère. Au contraire, c'est même assez drôle. Je ressens beaucoup d'amusement.

– Comment le vieux maître enseigne-t-il?

– Il ne parle pas. C'est comme si ses pensées fusaient directement de lui et pénétraient non seulement dans nos pensées à nous mais dans nos différents corps subtils. En ce moment il est en train de me sonder parce que je suis à côté d'un garçon que j'aime beaucoup. Il le sait. Rien ne peut être secret pour lui. Il dit que nous devons décider si nous travaillerons ensemble ou séparément dans le futur.

– Qu'est-ce que vous lui répondez?

– Nous disons que oui, nous voulons travailler ensemble. C'est un travail spirituel, nous pensons que nous pourrons mieux le faire et aider les autres à deux, en nous aimant.

– Allez-vous vous marier avec ce jeune homme?

– Oui, mais je ne sais pas comment dire, comment décrire ça : c'est d'abord une union sur le plan spirituel... Nous allons nous réunir tous les deux dans une pièce. Nous aurons chacun un cristal assez grand (peut-être trente, quarante centimètres de haut) et nous allons nous brancher l'un et l'autre sur l'énergie de notre cristal. Nos deux cristaux vont alors émettre chacun un son et une couleur. Ensuite il nous faudra faire fusionner ces deux énergies en une seule : un

139

seul son, une seule couleur et ce sera la nôtre, l'énergie de notre couple.

– Est-ce en cela que consiste la cérémonie de mariage?

– Oui.

– Quand doit-elle avoir lieu?

– Lorsque nous serons prêts. Il faut attendre que nos énergies, notre désir d'union soient suffisamment forts sinon nous ne parviendrons pas à la couleur unique.

– Y aura-t-il d'autres personnes présentes pendant la cérémonie?

– Non, nous serons seuls. Ce sont des vibrations que nous émettons; la présence d'autres personnes provoquerait des interférences.

– Lorsque vous aurez réalisé cette union de l'énergie des cristaux, serez-vous mariés aux yeux de la société?

– Oui.

– Allez vers le moment de cette cérémonie.

– Nous sommes là, tous les deux, dans une pièce. Tout est très lumineux. Les deux cristaux vibrent et nous sentons leur énergie. C'est quelque chose de totalement vivant. Leur vibration est de plus en plus fine et il se forme autour d'eux des mouvances colorées, comme des fumées d'encens. Le mien émet une énergie mauve pâle; celui de mon élu est beaucoup plus rose. Ces deux émanations d'énergie colorée se fondent maintenant l'une dans l'autre. Elles ne forment plus qu'une seule couleur. Je ne sais pas comment la décrire : c'est totalement pastel, mais ce n'est pas une couleur que l'on voit avec les yeux physiques. Et pourtant nous la voyons et nous savons que cette teinte exacte traduit la fusion de nos deux êtres. C'est très difficile à dire avec des mots. Nous savons que nos deux âmes viennent de s'unifier et que nous sommes parfaitement un à tous les niveaux de nos êtres. C'est une expérience magnifique.

J'avoue que ce récit d'un mariage en Atlantide à la Haute Époque m'impressionna d'autant plus que j'y retrouvais fidèlement un certain nombre de points, du reste tout à fait stupéfiants, d'un récit que m'avait donné un autre de mes voyageurs de sa vie en Atlantide. J'y ai déjà fait allusion dans *Nous sommes tous immortels*. Voici ce que cette personne avait alors décrit, retranscrit avec le plus de fidélité possible :

– Je vois un temple blanc avec une volée de marches qui

mènent à la grande porte. Je monte. J'entre. Une vingtaine de personnes sont déjà là, allongées par terre. Elles ont toutes entre quinze et vingt ans. Je viens pour leur transmettre un enseignement à l'aide de l'énergie du cristal. C'est très difficile à décrire car il n'y a pas de mots pour rendre compte de ce processus. Je suis maintenant assis en tailleur, la colonne vertébrale très droite. Le cristal est posé à même le sol, à une trentaine de centimètres de moi. Mes énergies fusionnent avec les siennes. La connaissance ainsi captée est transmise directement aux élèves allongés devant moi. Ces étudiants sont silencieux comme s'ils étaient plongés dans un autre état de conscience. Ils sont très beaux. Je sens leurs énergies vitales. Ils sont en équilibre avec eux-mêmes. Ils apprennent à se mettre en contact avec leur conscience supérieure ainsi qu'avec d'autres plans de conscience à travers une vibration d'amour inconditionnel. L'atmosphère qui règne ici est simplement merveilleuse. Je ne trouve pas d'autre mot. Dans ce type d'enseignement nous ne sommes qu'une âme, qu'un seul être. Nous réalisons que nous provenons tous de la même source, que nous sommes nous-mêmes, chacun, la source dont tout provient.

« L'enseignement est maintenant terminé. Les étudiants se rassoient. Ils ressentent toutes les vibrations qui les entourent et ils semblent profondément heureux. Je m'approche d'eux et je leur parle, mais je n'utilise pas la parole : c'est un mode de communication trop lourd et trop limité qui recouvre un champ de compréhension trop restreint. Je leur parle dans une sorte de communication d'esprit à esprit, comme par un transfert de vibrations. »

On ne peut qu'être frappé par la similitude de ces deux récits sur cet enseignement que l'une raconte avoir reçu en tant qu'élève et l'autre avoir donné en tant que maître. Je précise au passage que les deux personnes qui les ont faits habitent à des centaines de kilomètres l'une de l'autre et ne se sont jamais rencontrées.

Leurs récits ne sont, du reste, pas les seuls à concorder. Nombre de voyages dans les vies antérieures, aux États-Unis comme en France, ont déjà débouché sur des vies atlantes. Tous présentent des similitudes frappantes et s'entendent, en tout cas, sur le fait que la civilisation atlante avait atteint un niveau qu'aucune civilisation n'a retrouvé depuis.

La splendeur et la puissance des Atlantes reposait, semble-t-il, à la fois sur leur haut degré d'évolution humaine et spirituelle et sur leur science du cristal, ce cristal auquel certains chercheurs de pointe sont en train de redécouvrir actuellement de bien étranges et faramineuses propriétés énergétiques. Les Atlantes, apparemment, savaient utiliser toutes les énergies du cristal. Au travers des différents récits, on apprend qu'ils utilisaient les cristaux pour convertir la lumière solaire en énergie qu'ils stockaient, notamment, sous forme de cristal liquide. Il semblerait qu'ils avaient également mis au point afin d'effectuer des vols interstellaires, un système de propulsion fondé sur la capacité des cristaux à transférer l'énergie entre la matière et l'antimatière. Du reste, ils savaient créer eux-mêmes par la pensée des cristaux géants en modifiant la structure moléculaire de la matière. Les cristaux leur servaient également en médecine et en chirurgie puisque – on l'a vu – ils agissaient comme des condensateurs des énergies mentales, psychiques et spirituelles. Ils permettaient aussi d'utiliser les sons et la lumière dans des registres de fréquences imperceptibles à notre plan physique mais agissant sur le plan invisible.

Outre la maîtrise des cristaux et les étonnants pouvoirs qu'elle leur conférait, les Atlantes semblent avoir eu aussi celle de la sortie hors du corps, comme l'exprimait « l'enseignant au cristal » toujours dans la même séance de régression :

– Nous semblons avoir besoin de sortir de temps en temps de notre corps de manière à réénergiser certaines parties de notre être. (...) C'est comme un processus de nettoyage, de purification. Encore une fois, c'est très difficile à exprimer avec des mots. Je réalise que mon corps est composé de plusieurs parties : corps physique, enveloppe subtile, corps non manifesté, essence spirituelle, âme. (...) Nous pouvons faire d'autres expériences que celles que nous faisons dans la dimension physique, manifestée qui est la nôtre. Mais cette expérience du monde physique est indispensable et si nous ne prenons pas suffisamment soin de cette enveloppe charnelle, elle risque de nous retenir dans la dimension manifestée, au-delà du temps qui nous est nécessaire. Pour parvenir à quitter le corps physique au moment voulu, il faut l'entretenir ; l'énergie du cristal peut éventuellement servir à cela. Quoiqu'il fut une époque où nous n'en avions pas besoin.

« Nous devons en particulier faire bien attention à ce que les différentes parties de notre être interagissent entre elles de façon harmonieuse, faute de quoi nous perdrions la communication avec nous-mêmes. Et justement, à l'époque où je vis, certains êtres semblent avoir perdu la faculté de quitter leur corps. C'est comme une forme de maladie, une épidémie qui commence à se répandre et qui nous trouble beaucoup. C'est le signe d'un recul dans notre évolution par la perte d'une faculté naturelle. Ces êtres développent des sentiments étranges que nous ne connaissions pas comme l'envie et la jalousie. C'est comme si une partie d'eux-mêmes était plongée dans l'ombre. Nous ne comprenons pas ce qui se passe. C'est peut-être une transformation que nous n'avions pas prévue. »

La séance se terminait à peu près ici. Elle ne comportait pas de mention d'un fait qui a souvent été rapporté dans d'autres régressions en Atlantide : les Atlantes gardaient présent à leur conscience le souvenir de leurs vies anté-rieures. Mais à travers cette séance, on voit se profiler une réalité dont certaines traditions font état depuis des siècles : la civilisation atlante aurait connu, peu avant son englou-tissement final, c'est-à-dire peut-être mille ou deux mille ans avant, une forme de décadence manifestée par un enfonce-ment dans le matérialisme. Les Atlantes auraient alors utilisé les énergies du cristal de façon de plus en plus anarchique, si anarchique, disent certains, qu'en manipulant des énergies vibratoires énormes ils ont eux-mêmes provoqué l'effondre-ment de l'Atlantide et sa disparition dans l'océan. Une cata-strophe, disons-le au passage, que beaucoup redoutent de voir se reproduire aujourd'hui. Pourtant l'histoire ne se répète pas. Le passé est le passé et le meilleur des usages qu'on puisse en faire est de prendre appui sur lui pour aller vers autre chose. Et c'est précisément là, peut-être, que se trouve la leçon la plus importante des Atlantes. Aujourd'hui où se produit une résurgence assez importante du cristal, où un peu partout dans le monde on redécouvre – ou en tout cas on réétudie – ses pouvoirs, il est peut-être bon de redire aussi que le cristal ne doit pas être utilisé n'importe comment. Faute de quoi, surtout lorsque l'état de conscience de la per-sonne qui le manipule n'est pas suffisamment élevé ou épuré, il peut produire des effets néfastes. De toute façon, quiconque manipule avec un peu de profondeur ces énergies du cristal, apprend assez vite qu'il vient un moment où le cristal n'est plus nécessaire et où c'est l'être humain lui-même qui agit en tant que cristal pensant avec les mêmes dons sinon de plus grands encore, et par le seul instrument de ses doigts ou de ses pensées.

Néanmoins, derrière cette énergie du cristal qui resurgit de nos jours, c'est l'ombre de l'Atlantide qui passe dans le cœur de nombreux êtres aujourd'hui. Et derrière la vibration de l'Atlantide, c'est la lumière invisible du royaume de Shamballah qui resplendit, le royaume du prêtre Jean avec lequel les Atlantes de la Haute Époque ont eu des contacts très précis.

Il est toujours intéressant de pouvoir comparer les récits des voyageurs dans le temps avec les grandes traditions et c'est ce qu'il m'a été donné de faire avec les légendes des Hopis, une tribu indienne d'Amérique du Nord. Un Américain, Frank Waters, a pu, en effet, rassembler dans un livre, *Book of the Hopis* (*le Livre des Hopis* [1]), l'ensemble de leurs légendes et de leurs mystérieuses cérémonies qui stupéfient, depuis qu'ils les connaissent, ethnologues et anthropologues. L'auteur n'a d'ailleurs pu réaliser son ouvrage que grâce à la collaboration d'un Hopi, Oswald White Bear Fredericks, qui lui a permis de rencontrer les sages de sa tribu et de converser avec eux.

Or l'étude de ces croyances est tout à fait fascinante. On y apprend, par exemple, que l'homme est relié à son Créateur par différents centres subtils qui renvoient, bien sûr, directement aux chakras et plus généralement à la structure énergétique de l'être humain telle que la professent depuis toujours les hindous.

Lorsqu'ils évoquent le premier monde et la première race humaine, les descriptions que les Hopis font de la première descente de l'esprit dans le monde physique ressemblent étrangement à celles que donnent les voyageurs qui revivent leur première incarnation terrestre, comme on va le voir un peu plus loin dans un exemple. Ensuite la légende raconte comment les hommes de ce premier monde se sont séparés du divin, « car cette race a utilisé les centres vibratoires du corps uniquement à des fins égoïstes, oubliant son Créateur »

1. Ballantine U.S.A. Non traduit en France.

et comment fut détruit ce premier monde par l'action du feu des volcans.

Quelques-uns, dit-on, furent sauvés car ils s'étaient cachés au fond des grottes et ceux-là ont été les bâtisseurs du deuxième monde. Le second monde des légendes Hopi est décrit sous les traits d'une civilisation évoluée, fondée sur les échanges commerciaux. Mais au fur et à mesure que croissaient ces échanges, les hommes « oubliaient leurs prières de remerciements à leur Créateur et commençaient à chanter des prières de remerciements pour les biens matériels qu'ils échangeaient et stockaient ». Ils se mirent aussi à se quereller à propos de ces biens et les guerres commencèrent. La description de la fin du second monde est intéressante puisqu'on y apprend que la Terre, soudain devenue « folle » bascula sur son axe de rotation. Les montagnes plongèrent alors dans les océans et les océans s'élevèrent très loin à l'intérieur des terres. Le monde terrestre changea totalement de visage et ce fut le début d'un âge glaciaire qui bouleversa le climat de la planète.

Il y a un troisième et un quatrième monde dans la légende Hopi. (Nous serions actuellement dans le quatrième.) On y trouve aussi mention du fait que les Hopis sont arrivés en Arizona en provenance d'un pays perdu situé vers le sud. Or il se trouve que les Hopis ont une danse, dite du serpent, qui présente de très étranges similitudes avec celle, du même nom, des Mayas. Nous ne savons, hélas, pas grand-chose de la civilisation maya qui demeure dans son énigme, mais nous connaissons certains textes mayas, comme le Popol-Vuh. Celui-ci affirme que les Mayas eux-mêmes sont arrivés dans leur pays à travers des portes appelées « tulans ». Les textes mentionnent quatre tulans : un à l'Est, un à Xibalbay (le monde souterrain), un autre à l'Ouest et un autre encore « en haut ». Quatre tulans, donc, quatre points de passage qui semblent moins désigner des lieux géographiques ou les points cardinaux que des portes cosmiques entre des mondes différents. Or il se trouve que les Hopis font aussi référence à ces tulans dans leur légende. Ils sont, disent-ils, arrivés en ce monde qui est le quatrième en passant par un tulan. Mais de quels mondes s'agit-il? D'époques successives de la vie sur cette planète ou de mondes différents? Et les Tulans représentent-ils des clés cosmiques qui auraient pu faciliter le passage d'une planète à une autre ou des clés spatio-temporelles qui permettent de passer d'un plan vibratoire à un autre?

Les Mayas ont érigé une civilisation fabuleuse dont il nous reste quelques pyramides en escaliers et des jardins dans des sites grandioses. Et en 830 après Jésus-Christ, alors que leur civilisation était à son apogée, et sans rien qui puisse justifier cela, ils ont disparu, abandonnant leurs cités, leurs temples et les sites de leurs cérémonies à la jungle, ne laissant rien subsister d'eux qu'un calendrier sacré, sous forme d'un module harmonique appelé le « TZOLKIN ». Dans ce calendrier est consigné à l'avance tout le déroulement du présent cycle. Il dure cinq mille ans et se termine en 2012. Par ailleurs, on a découvert avec stupéfaction qu'il était fait mention sur les pyramides mayas d'Amérique centrale d'événements que leur datation fait remonter à plus de quatre cents millions d'années. Les Mayas et les Hopis, eux aussi, nous ramènent au continent perdu de l'Atlantide...

Si l'on remonte encore plus loin dans le temps et que l'on demande aux personnes qui régressent dans leur vie passée d'aller à leur première incarnation terrestre (en général parce qu'elles-mêmes en ont manifesté le désir), on retrouve le plus souvent des vies qui renvoient à des notions classiques sur la préhistoire ou l'Antiquité ou alors – on l'a vu – à des civilisations dont on ne sait plus rien. Mais parfois, par un étrange phénomène, la personne se retrouve dans une existence où elle ne se perçoit plus incarnée dans un corps mais sous la forme d'une énergie tourbillonnante, d'un « être de lumière », ainsi qu'elle se décrit elle-même. J'ai fait allusion dans *Nous sommes tous immortels* à ces êtres de lumière, ces « light beings », pour reprendre le terme sous lequel les Américains ont classé ce type d'expériences vécues en régression. Il n'est pas rare que ces voyageurs décrivent ensuite une descente dans la matière, dans notre monde physique.

Voici, à cet égard, l'étrange récit de Christian à qui j'avais demandé d'aller vers sa première incarnation terrestre:

– Je ressemble à un gorille hirsute, à l'homme des cavernes, me dit-il dès qu'il sortit du tunnel temporel. Je me sens stupide dans ce corps. J'ai des poux dans les poils. Je sens des tas de petites bestioles qui courent. Je me gratte. Il y a d'autres personnes avec moi. Je suis dans une grotte. Nous ressemblions tous à des singes... Mais nous savons tracer des signes sur les parois.

146

– Dans quel environnement vivez-vous?

– Près d'un lac. Dans des espèces de cahutes sur pilotis. Le climat est chaud. Nous savons utiliser le feu.

L'image bascula.

– Voilà maintenant que je participe à une sorte de cérémonie. C'est la nuit. Je fais cuire des herbes. Nous sommes plusieurs à surveiller le feu. En même temps nous regardons le ciel. Il y a une lune magnifique. Je crois que nous adorons la lune. Pour nous c'est le pays des dieux.

– Que savez-vous des dieux?

– Nous sommes des enfants des dieux, des enfants de la lune.

Et comme il disait cela, l'être qui s'exprimait en cet instant à travers Christian semblait fasciné.

– Un vieil homme de la tribu a déjà vu les dieux. Ils sont différents de nous, ajouta-t-il avec force.

– Comment sont-ils? A quoi ressemblent-ils?

– Je ne sais comment dire. Je ne sais pas expliquer.

– En avez-vous déjà vus?

– Jamais. Seulement le vieil homme. Je crois que ce sont eux qui nous ont appris à faire cuire les herbes. Ce sont des Enseignants. Ils sont brillants comme le soleil.

– Comment viennent-ils?

– Je ne sais pas. Ils viennent et ils disparaissent. Ils chevauchent la lumière. Nous sommes très tristes lorsqu'ils s'en vont et nous prions en pensant à eux.

– Que leur demandez-vous?

– De nous protéger. De protéger nos familles de la faim et des maladies.

Je demandai à Christian, l'homme des cavernes, d'avancer jusqu'au moment de sa vie où il lui était donné de percevoir l'un de ces dieux. Christian sur le divan se mit à pleurer doucement.

– Je pleure, me dit-il, je suis dans une grotte. Je suis seul mais l'un des dieux est là.

– Comment est-il venu?

– Je ne sais pas. Il est là. Il flotte. Il est brillant. Je prie comme je peux, la tête entre les mains.

– Comment est-il vêtu?

– C'est quelque chose de bleu ciel... Je ne sais pas. Il est merveilleux. Il me parle mais il n'a pas besoin d'ouvrir la bouche : je le comprends directement dans ma tête, comme par télépathie. Je suis effrayé. Pourtant il ne fait aucun geste vif. Il m'explique que j'ai quelque chose à faire. Il essaie de m'expliquer... Il me fait un signe et me donne des petites baies rouges. Je ne comprends pas. (...) Je crois que je dois les écraser et en boire le jus. Le dieu a disparu. Je me sens stupide. Je retourne au village. C'est la pleine lune. Je mets les baies rouges à cuire sur le feu et je bois le liquide qu'elles donnent. Il se passe en moi quelque chose d'étrange. Je me sens partir. Je vois la lune se rapprocher. Je vois aussi un aigle et un cheval blanc. Je n'avais jamais vu de cheval blanc : c'est beau. J'entends aussi de merveilleuses musiques. En fait, je crois que nos dieux ne vivent pas sur la lune. Ils vivent sur un plan différent, supérieur.

« Maintenant je vois de l'herbe et un temple blanc magnifique. Les dieux sont là mais je ne suis pas effrayé : ils ne rayonnent pas de la même lumière que lorsqu'ils sont en bas. Ils sont vêtus de teintes claires. Ils parlent. Je suis tout proche d'eux. »

– Que se passe-t-il maintenant?

– Je suis à l'intérieur du temple avec cinq ou six d'entre eux. Il m'expliquent comment ils vivent. C'est étrange, j'ai l'impression que cela soulève au fond de ma mémoire des souvenirs très lointains.

– Comment communiquent-ils?

– Ils n'émettent pas de son. En fait, ils ne m'expliquent rien. Ils me montrent seulement la juste manière de vivre. Ils disent que nous devons nous traiter les uns les autres avec respect, prendre soin de nos femmes et de nos enfants. Là encore, j'ai la sensation diffuse d'avoir déjà su tout cela avant et de l'avoir oublié parce que je suis dans le monde d'en bas... Qu'est-ce que c'est beau ici!...

« C'est fini. Tout a disparu. Me voilà dans l'herbe. Je suis revenu dans le village. Je crois que j'ai rêvé. Je parle de ce rêve au vieil homme qui a déjà vu les dieux et il me dit qu'il a fait le même. »

– Comment vivez-vous depuis ce rêve? Votre vie a-t-elle changé?

– Je crois que je suis devenu une sorte de rêveur dans le village. J'essaie d'expliquer aux autres comment nous devrions vivre, qu'il nous faut nous traiter avec respect, que cette vie nous a été donnée par ceux d'en haut. Le vieil homme m'aide. J'essaie d'utiliser aussi les plantes. J'ai une conscience rudimentaire, mais les autres semblent encore plus bornés que moi.

– Allons au dernier jour de votre vie d'homme des cavernes, ou plutôt d'homme du lac.

– J'ai un violent mal de ventre. Ça doit être une espèce d'appendicite ou de péritonite. Je sens que je vais mourir.

– Les êtres de lumière se sont-ils encore manifesté à vous durant votre vie?

– Non, je ne les ai jamais revus mais je ne les ai jamais oubliés.

– Passons la mort. Que ressentez-vous maintenant?

– Je flotte. C'est agréable. Je vois le lac en bas, le village. Tout devient sombre maintenant, mais je me sens attiré par une lumière. Je vais vers elle. C'est incroyable! Je suis revenu au temple! Les dieux sont là. Ils jouent. Je n'ai plus de corps mais je crois que mon âme a atteint le monde des dieux. Je me demande ce que je vais faire. Je me souviens de la première fois que je les ai vus. J'ai eu honte de ma laideur, face à eux, si lumineux. Je me suis senti stupide face à leur intelligence, brutal comparé à leur douceur, et là il me semble comprendre que ce sont des gens comme nous. Mais ils sont si beaux! Tiens, ils me voient! J'ai un corps?

– Comment réagissent-ils?

– Ils me disent bonjour. Ce n'est pas le même corps que celui que j'avais en bas. Je ne ressemble pas tout à fait aux dieux non plus mais c'est bien comme ça. Je marche légèrement sur l'herbe, près d'un petit lac. Il y a là une femme.

– Une femme ou une déesse?

– J'ai honte d'être si laid devant toi. Elle répond que mon âme n'est pas laide. Tout cela me paraît bien incroyable. Je me demande combien de temps s'est écoulé depuis que j'ai quitté le monde d'en bas. Je n'ai plus la notion du temps. Par moments je vois des objets dans le ciel. On dirait des ballons, des disques. Ils restent un moment puis ils disparaissent. Ce sont peut-être des moyens de transport? Ils sont faits de lumière, de glaise et de soleil. Oui, c'est ça. Ce sont des moyens de transport. Ils prennent un morceau de soleil. Ils l'arrondissent, entrent dedans et s'en vont ailleurs.

« Mon corps se modèle peu à peu sur le leur. Je ne leur

ressemble pas encore tout à fait mais je sens que je me transforme. Je viens d'ici. Je le sais maintenant. C'est comme si ma conscience s'ouvrait. J'ai été l'un d'eux avant. J'ai l'impression de sortir d'un long, long sommeil. Et je ressens un puissant sentiment d'amour pour ceux d'en bas. Il me semble, là, que j'avais moi-même choisi de descendre dans un corps primitif pour montrer à ceux d'en bas ce qu'est la vie. Et malgré cette laideur que j'ai toujours ressentie, j'ai aimé prendre un corps de chair. Peut-être d'autres parmi nous descendent-ils ainsi de temps en temps dans un corps humain? Je crois qu'alors leur conscience se ferme volontairement pour que l'épreuve ne soit pas trop dure. Pourtant subsistent encore quelques impressions fugitives du monde d'en haut : quelques principes, des pensées fugitives, un sentiment d'amour pour les êtres et les choses... »

Ainsi s'achevait l'étrange, l'invraisemblable récit de Christian sur l'incarnation dans la Terre préhistorique d'une entité venue d'un monde non physique. Ce n'est pourtant pas le seul témoignage de ce type que j'ai recueilli et je ne suis pas le seul non plus à l'avoir fait. Dans ces récits on retrouve, semble-t-il, des secrets véhiculés à travers les âges et qui tous font allusion à la venue sur terre d'êtres issus d'autres mondes ou d'autres plans vibratoires pour « donner un coup de pouce » à l'humanité. Certains, conscients de ce qu'ils sont, auraient donné de grands penseurs, des philosophes, des inventeurs de génie. D'autres, moins conscients, œuvreraient dans l'ombre de manière plus discrète mais tout aussi puissante. Certains courants actuels affirment même que des êtres de cette sorte viennent, en cette période charnière qui est la nôtre, s'incarner dans des corps de chair pour faire passer à l'humanité la porte d'entrée de l'ère du Verseau. Toutes choses qui peuvent paraître bien folles et dont je ne me fais ici que l'écho.

Que ce qui doit s'accomplir s'accomplisse!

TROISIÈME PARTIE

LES CYCLES DE L'ÂME

Chapitre 8

LA VIE FŒTALE

Après quelques années de recherche et d'expérimentation sur le phénomène des vies passées, j'ai commencé à m'intéresser à la naissance et à la vie fœtale. Je l'ai dit au chapitre 2, on peut, avec les mêmes techniques d'expansion de conscience, voyager aussi bien dans le passé « antérieur » que dans le passé proche : enfance, vie fœtale, naissance.

A l'époque, j'ignorais encore les travaux de Stanislas Grof sur la vie fœtale et la naissance mais je connaissais ceux d'un membre de l'A.P.R.T., Barbara Feinseinden, une psychologue clinicienne rattachée à l'Université de Californie. Au début des années quatre-vingt elle avait déjà effectué plus de cinq mille « régressions fœtales » et mis en évidence ce que j'ai pu également constater dès que j'ai commencé à faire faire des régressions de ce type : la conscience ne commence pas à l'enfance. Si l'on remonte le temps lentement – ce que l'on fait généralement en partant de l'enfance pour remonter jusqu'à la naissance – à la naissance, on trouve une conscience. Et si l'on remonte encore à neuf mois fœtal, à huit, à sept, à six, etc., on trouve toujours une conscience.

Et pourtant, jusqu'à ces récentes années, les psychologues ne se sont guère intéressés à l'expérience de la naissance et encore moins à celle de la vie fœtale. Pour la plupart des écoles psychologiques, il ne se passait rien dans le ventre d'une mère où ne s'effectuait qu'une pure gestation physique et rien non plus au moment de la naissance où ne se produisait qu'une simple séparation de corps, si l'on peut dire.

Or un nombre de plus en plus important de psychiatres et

psychologues – travaillant d'ailleurs indépendamment les uns des autres – tels que Stanislas Grof, Ronald Laing, Arthur Janov ou Léonard Orr, ont au contraire démontré qu'il se passe infiniment de choses au niveau psychologique dans le ventre d'une mère parce qu'il s'en passe infiniment dans l'inconscient de son enfant pendant la vie fœtale et au moment crucial de la naissance.

Le premier psychologue à s'être penché sérieusement sur l'expérience de la naissance et avoir en même temps pressenti son influence sur le développement de la personnalité, a été Otto Rank, un psychiatre viennois, disciple dissident de Freud, dans les années vingt. Dans son livre – un classique aujourd'hui – *le Traumatisme de la naissance*, il décrivait quel combat représente pour le bébé la progression dans le canal utérin. Car, comme l'ont confirmé toutes les études de ces quinze dernières années, la naissance, même lorsqu'elle a lieu dans des conditions optimales, est un événement potentiellement traumatisant pour le fœtus. Si traumatisant même que cette peur tenace et incontrôlée de la mort qu'éprouvent certaines personnes pourrait bien n'être qu'un résidu – « une peur résiduelle » disent les psychiatres – du traumatisme de la naissance.

L'idée que Rank développait alors était qu'au souvenir de cette lutte qu'est chaque naissance, au travers du combat dans le canal utérin, s'attache tout un « matériel inconscient », toute une imagerie. Ainsi des images de noyade, de brûlure, de choc, de coupure, de démembrement même qui, selon lui, renvoyaient toutes à la douloureuse délivrance de la naissance, tout en témoignant de la violence qu'elle inflige au fœtus.

De même tous les rêves de cave, de caverne, de donjon et tous les scénarios d'enfermement, d'ensevelissement, d'enterrement – qu'ils s'expriment dans des rêves, des phantasmes ou des œuvres artistiques – traduisaient-ils pour Rank l'existence intra-utérine.

Les conclusions de Rank, en ces années où la psychanalyse venait tout juste de naître, devaient autant à ses observations qu'à son intuition. Une intuition qui s'est vue confirmée, trente ans plus tard par les travaux d'un autre psychiatre, Stanislas Grof. Grof en était alors au début de ses recherches et pratiquait en Tchécoslovaquie des psychothérapies sous L.S.D. (comme il le faisait pour étudier les états modifiés de conscience), la drogue facilitant, comme on le sait, l'émergence de matériaux inconscients.

Or il fut stupéfait de constater que ses patients semblaient tous avoir effectivement conservé des «souvenirs» de leur naissance et que ces souvenirs s'exprimaient sous forme de visions, d'une imagerie mentale qui était exactement celle que Rank avait intuitivement associée à la naissance. (C'est pourquoi Grof a appelé «niveau rankien de l'inconscient» ces visions qui se rapportent à la naissance.) Mais bien vite il s'est avéré que si ces visions revenaient de façon constante, elles suivaient toutefois des scénarios bien particuliers selon que le bébé avait – plus ou moins – souffert durant telle ou telle phase de l'accouchement : lors des premières contractions de l'utérus ou lors de la progression dans le canal ou encore lors de la séparation définitive avec la mère, etc. Et il est aussi apparu à Grof qu'il y avait un rapport entre le stade de l'accouchement auquel se fixait l'inconscient de quelqu'un et son profil psychologique – ou plus exactement psychanalytique – comme si c'était à la naissance et dans ses différents stades que la personnalité déterminait les tendances générales autour desquelles elle allait se construire. La découverte de ces «matrices périnatales», ainsi qu'il a appelé ces moments de l'accouchement déterminants pour le psychisme, était d'autant plus intéressante que Grof avait déjà forgé sa théorie des «systèmes COEX». Un système COEX est, sous son nom barbare, une chose simple : il s'agit d'une constellation de souvenirs appartenant à différentes périodes de la vie de quelqu'un, avec cette caractéristique que ne sont stockés que des souvenirs ayant fondamentalement le même thème ou impliquant des éléments similaires ou encore possédant la même charge émotionnelle. Ces systèmes COEX constituent la véritable dynamique de l'inconscient individuel, son moteur, et leur connaissance est essentielle à la compréhension de chaque personnalité et tout particulièrement de ses «patterns» névrotiques. Or en démontrant l'existence de ces matrices périnatales, Grof démontrait aussi que c'est au moment de la naissance que s'enracinent ces patterns, que les systèmes COEX engrangent, si l'on peut dire, les souvenirs qui vont leur servir de thème de base.

On voit tout l'intérêt qu'ont pu trouver à cette découverte les psychologues qui, telle Barbara Feinseinden, pratiquent les régressions dans le passé à des fins thérapeutiques. Ainsi qu'elle le dit elle-même, l'exploration des périodes de la vie fœtale et de la naissance constitue l'un des éléments les plus riches d'enseignement sur quelqu'un et l'une des meilleures thérapies possibles.

Pour donner un exemple concret, j'ai pour ma part souvent noté qu'un enfant qui doit combattre plus que la normale dans le canal utérin, va donner un adulte voué au combat, c'est-à-dire qui aura la sensation de devoir sans cesse lutter pour survivre. C'est que le combat initial a engendré cette programmation inconsciente : « Si je ne combats pas, je meurs. » Le seul moyen dont dispose cette personne pour se libérer de sa programmation étant alors d'en prendre conscience, de réaliser d'où elle vient, comment elle s'est créée et de s'en détacher.

Dans les années vingt pour Rank et ensuite pour les psychologues jungiens, le rôle accordé à la mère pendant le processus de la vie fœtale et au moment de la naissance, était tout à fait impersonnel. On tenait pour acquis que « in utero » l'enfant ressentait sa mère non comme une personne particulière mais comme un impersonnel océan de félicité dans lequel il baignait : un archétype de la mère cosmique. De même la naissance, cet arrachement à l'océan primordial, était-elle considérée comme l'expérience avec un grand E – universelle – de la mort/renaissance.

Il est certain que l'expérience de la naissance et tout ce qui l'entoure dépasse largement le cadre de la personnalité à la fois de la mère et de l'enfant et de leur histoire personnelle.

A travers les discussions que j'ai eues avec mon épouse Marguerite et avec d'autres amies qui ont eu des enfants, j'ai pu me rendre compte qu'en donnant naissance chaque femme participe à une expérience transpersonnelle immense. Certaines, pendant qu'elles accouchent, voient remonter à leur conscience des images de leur toute petite enfance ou de leur propre vie fœtale. D'autres ont parfois des visions de lumière ou des sensations de sortie hors du corps. Toutes choses qui apparaissent bien comme la réactivation de ce que les psychologues appellent « le complexe archétypal de la naissance ».

En donnant naissance comme en naissant, la mère et l'enfant pénètrent dans l'expérience universelle de la femme, de l'être féminin. Une expérience qui inclut dans cette grande mémoire de la race humaine, que Jung appelle Inconscient collectif, toutes les pertes, les sacrifices, les morts d'enfants dont, parfois, certaines femmes refont une forme d'expérience intérieure lors de l'accouchement.

Mais la dimension transpersonnelle et collective de la vie fœtale et de la naissance n'est désormais plus la seule à être prise en ligne de compte. Toutes les recherches qui ont été menées ces vingt dernières années ont révélé que l'expérience de la vie fœtale est beaucoup plus personnelle qu'on ne l'avait imaginé. C'est ce qu'explique le Dr Verny dans son ouvrage [1] qui est sans doute l'un de ceux qui a le plus marqué le cadre de ces recherches :

« Nous savons aujourd'hui, écrit-il, que l'enfant, avant sa naissance, est un être humain conscient et capable de réactions et qui, dès le sixième mois de gestation (plus tôt peut-être) a une vie affective active. Parallèlement à cette découverte pour le moins étonnante, nous avons constaté plusieurs points :

– Le fœtus peut voir, entendre, toucher, goûter et même – à un niveau très primitif, apprendre, dans l'utérus avant la naissance.

– Plus important encore : il est capable de sentiments, moins élaborés que ceux de l'adulte bien sûr, mais très réels. Et cette constatation s'accompagne de son corollaire :

– Les perceptions et les sentiments de l'enfant commencent à modeler son comportement ainsi que ses attentes. La façon dont il se percevra, donc agira, en individu heureux ou triste, agressif ou timoré, sécurisé ou anxieux, dépend en partie des messages qu'il reçoit à son propre sujet dans l'utérus.

– La principale source des messages à partir desquels se forme la personnalité est la mère. *Ce qui ne veut pas dire que les moindres soucis, doutes ou anxiétés de la mère se répercutent sur son enfant.* Ce qui compte ici, ce sont les schémas affectifs profonds et durables. L'anxiété chronique ou une ambivalence perturbante des pensées et des sentiments à l'égard de la maternité peuvent laisser une cicatrice profonde sur la personnalité de l'enfant. En revanche, des émotions riches et positives, comme la joie, l'allégresse et

1. Opus. cité.

l'attente, peuvent contribuer, d'une manière importante, au développement affectif d'un enfant sain. La recherche actuelle commence aussi à s'intéresser, beaucoup plus qu'elle ne le faisait par le passé, aux sentiments du père. Jusqu'à une époque récente, on ne tenait aucun compte de ses émotions. Les dernières études en date montrent ce qu'une telle attitude a de dangereux et d'erroné. Elles font apparaître que les sentiments éprouvés par un homme à l'égard de sa femme et de l'enfant qu'elle porte, sont un des facteurs déterminants pour la réussite d'une grossesse.»

Les travaux du Dr Rottman, de l'université de Salzbourg en Autriche, ont bien mis en valeur l'importance de l'état de conscience de la mère pendant sa grossesse et son influence sur celui de l'enfant. Rottman a en effet démontré que l'on pouvait classer les mères en quatre types d'après leur attitude – consciente et inconsciente – à l'égard de la grossesse et de leur enfant. Les mères idéales, tout d'abord. Ce sont celles qui – d'après les tests psychologiques que leur a fait passer Rottman – s'avèrent vouloir un enfant aussi bien inconsciemment que consciemment. Ces mères ont, pour la plupart, des grossesses heureuses et tranquilles, sans troubles postérieurs à l'accouchement et leurs enfants sont en excellente santé.

A l'autre extrême, on trouve les mères que Rottman a appelées «catastrophiques». Celles-ci en aucune manière n'avaient désiré un enfant. Elles présentent en conséquence toutes sortes de problèmes médicaux durant leur grossesse, font parfois des accouchements prématurés et mettent au monde des enfants de peu de poids et émotionnellement perturbés.

Entre ces deux extrêmes se situent d'abord les mères «ambivalentes» qui, extérieurement, se montrent ravies d'attendre un enfant et intérieurement ne sont pas si sûres de l'être. Souvent ce type de mère manifeste des troubles du comportement et se voit affecté de problèmes intestinaux.

Enfin on trouve les «mères froides» qui consciemment ne désirent guère avoir un enfant – à cause de leur carrière professionnelle, de problèmes financiers, de leurs conditions de vie, etc. – mais qui inconsciemment le désirent vraiment. Selon Rottman, l'enfant enregistre ces deux messages contradictoires in utero et a tendance à se montrer assez apathique.

Moi-même, en emmenant plusieurs centaines de personnes dans leur vie fœtale, je me suis rendu compte qu'il n'existe aucun système de filtrage entre la mère et l'enfant. Ce qu'une maman ressent, son enfant le prend au pied de la lettre et l'emmagasine.

Lorsque j'explique tout ceci en conférence, il se trouve toujours un petit noyau de mères pour se sentir aussitôt coupables et venir me confesser leur inquiétude : elles se sont reconnues chez les mères « froides », « catastrophiques », etc. ou bien leur enfant est né par césarienne, avec les forceps, prématurément, etc.

Je tiens donc à préciser les points suivants :

La vie est un continuum. Elle ne commence pas au moment de la conception pour se terminer au moment de la mort physique. C'est un cycle. L'exploration des vies passées nous le démontre abondamment : nous ne sommes pas des êtres « neufs » à la naissance, en ce sens que nous portons en nous notre karma. Et ce karma, nous l'avons vu, nous pousse à effectuer certains choix, à vivre certaines expériences. En conséquence, ainsi que l'explique Roger Woolger[1], un analyste jungien qui a beaucoup travaillé sur le phénomène des vies antérieures, chaque enfant venant au monde avec ses propres drames karmiques non terminés, la vie fœtale et la naissance sont les premières opportunités qui s'offrent à lui pour réactiver certains « patterns karmiques » non encore résolus. J'ai déjà dit, par exemple, que nombre de personnes qui naissent avec le cordon ombilical enroulé autour du cou s'avèrent par la suite être mortes par pendaison ou strangulation dans une vie antérieure. C'est vrai dans une forte proportion : vingt cas sur vingt-cinq.

De même les enfants nés avec les forceps retrouvent-ils souvent dans le passé des morts à la suite de chocs à la tête, voire d'écrasements. La panoplie des technologies modernes qui préside aujourd'hui à la naissance offre ainsi nombre d'opportunités pour rejouer ou réactiver le scénario des morts du passé et les nœuds karmiques afférents.

Mais il ressort aussi des travaux de Woolger – et cela apporte une dimension supplémentaire à ceux de Rottman – que l'enfant choisit la personnalité du père et de la mère en fonction des problèmes karmiques qu'il doit résoudre. Ainsi

1. Opus. cité.

l'état de conscience de la mère durant la grossesse est-il en soi une occasion fournie à l'enfant – il vaudrait mieux dire : une occasion que l'enfant se donne – pour réactiver certains schémas karmiques dans son subconscient. Une âme dominée par un schéma de mort violente ou d'abandon sera sans doute attirée par la mère catastrophique de Rottman. Lorsque celle-ci pensera ou portera en elle cette pensée inconsciente : « Je ne veux pas de cet enfant », l'enfant percevra : « Je ne peux pas être ici; je n'ai rien à y faire; personne ne me veut; personne ne m'aime. » Et ces pensées ne seront pas à proprement parler causées par la mère mais seulement « réveillées » par elle dans l'inconscient de son enfant où sommeille la réminiscence de traumatismes antérieurs. L'inverse est vrai aussi : un enfant relativement libre de karmas négatifs va être attiré par une mère idéale. Entre ces deux extrêmes, encore une fois, les mères ambivalentes ou froides vont attirer à elles des enfants dont les tendances karmiques réfléchissent leurs propres pensées. Si l'on fait régresser dans leur vie fœtale des personnes qui ont eu une mère de ce type, on entend des déclarations telles que : « Ce n'est pas un endroit sûr. » « Je me suis encore mis un poids sur les épaules. »

S'il ne convient donc pas que les mères se culpabilisent outre mesure, il faut tout de même qu'elles sachent que leur enfant in utero est comme un lecteur de cassettes qui enregistre absolument tout ce qui provient d'elles. En fait, il semble bien qu'au départ la conscience de l'enfant soit incapable de faire la distinction entre ses propres sentiments et ceux de sa mère. Si la mère, par exemple, parce que le père est parti ou ne se préoccupe de rien, pense : « Je suis toujours seule. Je dois tout faire seule », le bébé enregistre inconsciemment cette pensée et elle peut réactiver en lui un trait de caractère karmique qui lui fait croire qu'il ne peut faire confiance à personne, qu'il doit tout faire tout seul, etc.

Voici deux exemples de régression fœtale qui aideront à mieux comprendre tout ce processus :

Simon est un homme d'environ cinquante ans. Depuis toujours il est sujet à des crises d'angoisse qui s'accompagnent, depuis quelques années, de fortes brûlures d'estomac. Il suit, bien entendu, un traitement médical mais sans résultat bien tangible. Il a aussi tout fait pour comprendre la nature de son angoisse. Il s'est posé beaucoup de questions, a beaucoup lu. C'est dans ce but, également, qu'il est venu me voir.

Lors de la première séance il se retrouve d'abord à l'âge de six ans environ puis à quatre ans. Dans les deux cas, c'est le même schéma qui fait surface : « Maman ne m'aime pas. »
Je lui demande :
– Est-ce que vous, vous aimez maman?
– Non, je ne l'aime pas.
– Mais est-ce que vous « sentez » maman?
– J'ai du mal. Non, je ne la sens pas.

Il est manifeste qu'il y a là une coupure entre la mère et l'enfant. Je n'arrive à tirer rien d'autre de Simon et je décide donc de lui faire faire lors d'une deuxième séance, un « tour » dans sa vie fœtale plutôt que d'entamer tout de suite un travail sur les vies antérieures. Dès le départ de cette seconde séance, je demande donc à la conscience supérieure de Simon d'aller vers l'âge de six mois fœtal.

– Nous sommes à six mois fœtal. Je voudrais que vous laissiez les choses se faire et que vous vous branchiez sur maman. Dites-moi ce que vous ressentez.
– Pas grand-chose. Je ressens comme une vibration grise.
– Qu'est-ce que cette vibration grise évoque pour vous? Que provoque-t-elle dans votre corps du présent qui, je vous le rappelle, ressent exactement la même chose que celui du bébé dans le ventre de maman.
– C'est froid. Je me sens angoissé. J'ai un poids sur l'estomac et une boule dans la gorge.
– Allons à quatre mois fœtal. Que ressentez-vous?
– Je sens maman très tourmentée. Elle n'est pas à l'aise. Je crois que c'est à cause de moi : j'ai l'impression d'être une gêne, un poids pour elle.
– Qu'est-ce que ceci provoque en vous?
– Je me demande ce que je fais là. J'ai l'impression que je ne devrais pas y être.
– Est-ce que maman veut un bébé?
– Oui et non. A l'extérieur elle dit que oui, qu'elle est contente parce qu'une femme qui attend un enfant est censée être heureuse; mais au plus profond d'elle-même elle a peur pour elle, pour son avenir. Elle pense que ça va être un poids supplémentaire et elle ne se sent pas bien.
– Et vous? Est-ce que vous avez envie d'être là ou d'être ailleurs?

161

– Je n'ai pas envie d'être là. Je ne sais pas si j'ai envie d'être ailleurs.

– Vous avez envie de naître?

– Non. Mais je ne veux pas rester là non plus.

Pris dans cette contradiction, l'inconscient du bébé est soumis à une espèce d'électrochoc. Pourtant la nature va faire son effet.

– Arrivons au moment de la naissance. Vous êtes là, dans le canal utérin. Avez-vous l'impression de participer à quelque chose ou vous sentez-vous inerte?

– Non, je ne participe pas. Je laisse faire. C'est quelque chose d'inéluctable de toute façon.

– Arrivons aux premières secondes de la naissance. Que se passe-t-il maintenant?

– J'ai froid et en même temps ça me brûle. J'ai l'impression qu'on me met des vêtements. J'ai comme une sensation de vertige et une brûlure aux yeux.

– D'où provient cette brûlure?

– Je pense que ce sont les lumières de la salle. Je ne sais pas mais cela me fait très mal. Je cherche maman car il n'y a qu'elle que je connais. J'ai l'impression d'entrer dans un monde totalement hostile. J'ai peur qu'on me fasse mourir. Je ne veux pas mourir. J'ai peur.

Simon commence à s'agiter sur le divan et à exprimer, effectivement, une partie de la terreur que le nourrisson a ressentie au moment de sa naissance. D'autant que si l'on s'occupe de lui physiquement, on le « laisse tomber » sur le plan affectif. Sa mère, épuisée, se repose et c'est le personnel médical qui s'occupe de lui dans l'environnement impersonnel, stérile et routinier de l'hôpital : on le met dans un lit froid, séparé de sa mère. L'angoisse que Simon ressent à ce moment-là, il l'emmagasine au plus profond de lui-même et elle va y rester même après qu'il sera devenu un petit garçon, un adolescent puis un homme.

Ayant fait revivre à Simon sa naissance, je lui ai demandé de partir, de quitter cet endroit du temps et de l'espace qui l'avait vu naître et de s'en aller, hors du temps, dans un espace qui pouvait être partout et nulle part. Et là je lui demandai d'établir un pont entre la conscience et l'angoisse de l'homme du présent et tout ce qui s'était passé durant sa vie fœtale et au moment de sa naissance.

C'est dans cet instant fondamental que l'être se permet à lui-même l'élévation de conscience nécessaire et suffisante pour se dégager des peurs et des angoisses, de tous les poids du passé – antérieur ou pas à cette vie – qui pèsent sur son existence présente.

Nous nous sommes revus, Simon et moi, une quinzaine de jours plus tard. A notre stupéfaction et pour sa plus grande joie, sa boule d'angoisse avait totalement fondu. Au bout de cinquante ans! Simon n'en revenait pas. Pour la première fois de sa vie il se sentait léger!

Selon les courants de pensée orientaux, à partir du moment où l'âme a fait le choix de redescendre dans l'incarnation, elle passe à travers un certain nombre de mondes subtils et, finalement, vient « s'accrocher » dans le corps d'un bébé non né. Ceci se produit généralement dans les premiers mois de la grossesse, mais dans certains cas, l'âme peut choisir de s'incarner au moment même de la naissance, voire plusieurs minutes après. Mais attention, il ne faut pas confondre l'âme, parcelle divine avec cette conscience immortelle qui est, elle, déjà présente au moment de la conception.

Pour que l'on comprenne mieux comment s'effectue la descente dans l'incarnation et aussi comment se pratique une régression fœtale, voici maintenant l'exemple de Marie, dans lequel j'ai reproduit à dessein presque in extenso le dialogue entre Marie et moi.

Marie est une jeune femme, thérapeute de profession, qui fait également une belle démarche spirituelle. Or Marie a toujours eu la sensation de ne pas faire réellement partie de ce monde. Pourtant, elle ne se sent pas mal dans sa vie de tous les jours, mais c'est comme si son véritable monde, sa vraie patrie étaient ailleurs. Nous avions déjà fait tout un travail ensemble sur les vies antérieures mais, pour cette séance, je décidai de l'emmener dans son enfance, vers l'âge de sept-huit ans pour bien la planter dans le décor familial, avant de l'emmener, peu à peu vers sa vie fœtale.

Voici ce que cela a donné:

– Tout simplement, comme lorsque vous laissez «aller» vos pensées, que vous rêvassez, vous allez penser à l'endroit que vous habitiez lorsque vous aviez environ sept ans. Et je voudrais que vous vous «branchiez» sur la porte de cet endroit. A partir de maintenant, je vais parler au présent comme si vous aviez sept ans aujourd'hui. Voilà. Vous êtes une petite fille de sept ans. Oh, cela peut être six ou huit ans! Disons dans cette période. Vous êtes devant la porte de l'endroit que vous habitez et je voudrais que vous me disiez quelle est la teinte de cette porte. Est-elle claire? foncée?

– Elle est en bois peint en blanc.

– Est-ce la porte d'un appartement? d'une maison?

– Une maison.

– Poussez la porte de cette maison, cette porte blanche en bois, qu'y a-t-il derrière? un vestibule? un couloir?

– C'est une cuisine.

– On entre directement dans la cuisine. Comment est-elle?

– Grande.

– Très bien. Alors allons un peu plus loin, vers la chambre où vous dormez, petite fille. Je voudrais que vous la ressentiez, que vous palpiez ses vibrations et que vous me disiez si vous y dormez seule ou si vous la partagez avec des frères, des sœurs ou peut-être des parents?

– Avec ma petite sœur.

– Comment s'appelle votre petite sœur?

– Françoise. Mais ce n'est pas une vraie chambre; c'est une pièce où tout le monde est là, toute la journée.

– Branchez-vous sur l'atmosphère de cette pièce. Que dit-elle? Est-ce que vous vous y sentez bien?

– Non.

– Ressentez cela : vous n'êtes pas bien. Et je voudrais que le corps du présent ressente cela aussi. Qu'est-ce qu'il y a, petite fille? Êtes-vous triste? Vous avez de la peine? Vous avez peur?

– J'ai du chagrin. Parce que je ne suis pas bien là. Il y a trop de monde. Je voudrais avoir un endroit à moi pour être seule, pour me reposer.

– Vous n'êtes jamais seule?

– Non. Avant, j'avais un petit lit rose dans la pièce à côté, mais maintenant ça a changé.

– Arrivons à un moment où papa est dans la pièce. Voilà. Il est là. Il est peut-être debout; il est peut-être assis. Comment est-il?

– Il est assis.

– Sentez ses vibrations : c'est votre père. Qu'est-ce que cela éveille en vous? De la joie? Du chagrin?

– Du chagrin. Je me souviens d'un moment où il a été très malade. Il a failli mourir.

– Sentez cela et dites-moi si vous aimez papa.

– Oui je l'aime beaucoup.

– Est-ce que papa aime aussi sa petite fille?

– Oui.

– Alors sentez cette circulation d'énergie entre papa et sa petite fille, entre vous et votre père. Et dites-moi si dans votre corps du présent vous ressentez cela comme une faiblesse ou comme une force.

– Comme une force. Mais il y a aussi une... distance. Parce que ça ne va pas entre papa et maman : il y a des tensions et cela crée une distance.

– Comment cela se traduit-il en vous? Par de la peur? du chagrin?

– J'ai peur qu'on m'abandonne. J'ai peur que papa s'en aille.

– Cette sensation d'abandon, j'aimerais que vous la placiez dans un endroit du corps, dans l'un des sept chakras que vous connaissez : au sommet du crâne? au front? dans la gorge? la poitrine? au plexus? au nombril? au bas-ventre?

– Au plexus. Et dans mon cœur.

– Je voudrais que vous vous branchiez maintenant sur maman et que vous me disiez si vous ressentez sa présence plutôt comme une force ou plutôt comme une faiblesse?

– C'est une force, mais en même temps c'est une tension.

– Est-ce que maman aime sa petite fille?

– Oui.

– Alors ce n'est pas l'amour des parents qui est à mettre en cause; c'est autre chose dont vous ressentez les vibrations?

– Oui.

– Branchez-vous encore sur maman. Vous allez voir que, comme vous le faites, une vibration étrange vous prend et vous enveloppe. Cette vibration est formée de différents sentiments plus ou moins diffus : d'abandon, de peine, de pesanteur mais de force aussi et de tout autre chose... Peu importe. Tout ceci crée une spirale d'énergie, une spirale qui va maintenant vous ramener dans le ventre de maman, à six mois fœtal, six mois fœtal. Et vous commencez à tourner dans cette spirale, dans cette vibration qui peu à peu se transforme en vibration maternelle. Je vais maintenant compter de cinq à un et à un vous serez dans le ventre de maman à six mois fœtal. Numéro cinq, vous tournez, tournez, tournez. Numéro quatre, vous tournez de plus en plus vite, de plus en plus vite. Numéro trois, et vous tournez, tournez. Numéro deux, au prochain compte vous serez à six mois fœtal. Numéro un, vous êtes à six mois fœtal, six mois fœtal et je voudrais que vous me disiez si vous avez une sensation d'ouverture ou plutôt d'enfermement. Bien sûr, vous êtes dans un espace clos. Mais on peut y connaître un sentiment de liberté ou au contraire avoir une sensation d'oppression. Alors, ouvert ou fermé?

– Je me sens libre.

– Avez-vous l'impression d'être incarnée ou pas encore?

– Non. Je ne suis pas incarnée.

– Alors branchez-vous sur cette vibration en bas : maman. Qu'est-ce qu'elle génère en vous?

– Je ne la sens pas. C'est loin.

– Avez-vous l'impression de descendre peu à peu dans des plans plus épais ou sentez-vous au contraire de la légèreté?

– De la légèreté

– Est-ce un univers ouvert, infini ou un espace clos?

– Je me sens dans l'infini. Il y a beaucoup d'espace. En même temps, je pressens qu'il doit y avoir de la nuit quelque part.

– Maintenant je voudrais que vous vous branchiez sur la vibration de papa, du père, là-bas, en bas.

– Je l'aime beaucoup.

– Vous sentez bien cette vibration?

– Oui.

– Plus que celle de maman?

– Oui.

– Alors sentez-la bien.

– Je sens une complicité avec lui comme si c'était un frère.

– Nous allons maintenant avancer de quinze jours en quinze jours (terrestres) pour voir quand et comment va se passer pour vous l'incarnation de la conscience, sa descente dans un corps humain à travers les différents plans de conscience. Nous sommes à six mois. Allons à six mois et demi. Est-ce que vous avez une sensation de descente ou ressentez-vous toujours cette même légèreté?

– J'ai l'impression que ça se referme un peu.

166

– Les vibrations sont-elles toujours aussi subtiles ou un peu plus épaisses?

– Plus épaisses.

– Allons à sept mois. Que se passe-t-il?

– Je sens que c'est bien plus épais encore.

– Branchez-vous sur l'être qui va créer votre véhicule physique, sur « maman ».

– Je la sens tendue et angoissée, compliquée. Il y a des perturbations dans son cœur et dans sa tête : c'est très éprouvant. Je crois que c'est pour ça que j'ai du mal à m'accorder à son énergie.

– Branchez-vous sur papa de nouveau.

– Avec lui c'est léger.

– Alors avançons encore de quinze jours terrestres. Allons à huit mois. Ressentez les énergies, les vibrations autour de vous. Qu'est-ce qu'elles deviennent? Sont-elles plus épaisses?

– Oui. Ça se condense.

– Est-ce que vous ressentez une certaine volonté de descendre ou êtes-vous seulement soumise à l'attraction du plan physique?

– J'ai la volonté de descendre mais en même temps c'est dur, parce que maman, c'est « indigeste ».

– Avez-vous l'impression qu'une partie de vous-même est incarnée déjà ou aucune?

– Rien n'est incarné.

– Branchez-vous sur le bébé; lancez-lui une « sonde vibratoire » et dites-moi comment vous ressentez ce corps en formation?

– Je l'aime bien ce petit corps mais en même temps c'est tellement oppressant d'y entrer que, non, ce n'est pas possible.

– Alors, voyons encore. Branchez-vous de nouveau sur « maman », ou du moins sur cet être qui va vous enfanter, corps et esprit. c'est drôle car si je me branche aussi, je ressens des volutes énergétiques, comme de lourdes masses vibratoires qui montent.

– Je suis partagée : je veux y aller et en même temps c'est invivable.

– Avançons de huit jours. Vous êtes à huit mois et une semaine. Qu'est-ce que cela génère?

– Je me sens oppressée. C'est de plus en plus compact, condensé.

167

– Alors avançons encore d'une semaine : le véhicule, en bas à huit mois et quinze jours. Est-ce que ça se densifie encore?

– J'ai l'impression que je suis fermée. Je ne sens rien.

– Vous voulez dire que vous êtes fermée à la perception de ces vibrations?

– Oui, c'est ça.

– Retournons alors à huit mois et une semaine. Que se passe-t-il?

– La pression est de plus en plus forte. Je veux y aller mais plus je le veux plus c'est horrible en même temps.

– Avançons de vingt-quatre heures en vingt-quatre heures. Nous sommes maintenant à huit mois et neuf jours.

– Quelle souffrance... Je n'arrive pas à y aller.

– Huit mois et dix jours.

– J'essaie de descendre, mais j'ai l'impression que des vagues venues d'en bas me repoussent.

– Huit mois et onze jours. Nous sommes au milieu de la deuxième semaine.

– Je crois que ça y est, je m'incarne mais en même temps il me semble que je me ferme.

– Vous voulez dire que vous fermez peu à peu votre conscience.

– Oui. Je l'anesthésie, parce que sinon c'est invivable.

– Arrivons à huit mois et douze jours.

– Je ne sens plus rien. C'est l'anesthésie totale.

– Donc vous vous êtes fermé la conscience entre huit mois et onze jours et huit mois et douze jours?

– Oui; parce que je veux absolument m'incarner mais en même temps je suis étouffée par ces énergies épaisses.

– Avançons encore et voyons ce qui se passe à huit mois et quinze jours, trois jours après cette fermeture de conscience. Que ressentez-vous là?

– J'ai l'impression de ne plus rien sentir du tout, à aucun niveau.

– Je voudrais que vous sentiez votre mère.

– Je ne la sens pas. Je sais que je suis en elle mais je n'y suis pas non plus.

– Si vous y êtes. Mais vous avez fermé votre conscience à toute perception extérieure. Pourtant, c'est à travers la mère que l'on peut ressentir les énergies de la vie. Bien sûr, si les énergies de la mère sont perturbées, le filtre est faussé et c'est la vie elle-même qui apparaît comme quelque chose de perturbé. Mais maintenant c'est à vous de découvrir vous-même la vie. Je vais compter jusqu'à trois et nous allons nous retrouver deux-trois heures avant la naissance. Nous ne revivrons pas le processus complet de cette naissance mais simplement nous allons voir ce qui se passe. Un. Deux. Trois. Nous sommes à trois heures de votre naissance; trois heures. Est-ce toujours le même engourdissement vibratoire?

– Oui. En même temps je me sens encore en dehors du bébé. Je suis autour. Je regarde tout. En fait, j'ai décidé de ne pas mettre toute mon énergie dans ce corps. Ce n'est pas important que je ne sois pas totalement là pour l'instant. Je sens que j'ai l'intention de m'incarner vraiment plus tard et par étapes.

– Comme si vous aviez besoin de vous accoutumer peu à peu...

– Oui et de toute façon le processus d'enfance que je dois vivre est tel que je ne vais pas pouvoir y mettre trop d'énergie non plus. C'est un peu comme un stade à passer. Après, j'enverrai plus d'énergie, je m'incarnerai davantage. Mais là, ce n'est pas nécessaire.

– Je voudrais maintenant que nous quittions tout cela et que nous allions ailleurs, en un temps hors du temps, dans un endroit qui est partout et nulle part. Je vais compter jusqu'à trois. A trois vous serez dans cet ailleurs. Un. Deux. Trois. Je voudrais maintenant que vous réalisiez bien tout ceci : Vous avez eu du mal à vous incarner. Vous ne l'avez fait que graduellement au cours des premiers mois, voire des premières années de votre vie : vous n'arriviez pas à vous habituer aux vibrations basses qui maintiennent le corps dans l'incarnation et, d'une certaine façon, vous êtes toujours restée « branchée » sur les vibrations élevées de cette autre Réalité dont vous venez. Vous êtes encore, de façon très subtile, victime de cette dualité. Alors nous allons simplement mettre en fusion, unir ce qui n'a pas encore été uni de ces énergies du ciel et de ces énergies de la terre. Car être relié en haut c'est être aussi relié en bas.

« Nous allons maintenant revenir au temps présent mais vous resterez encore quelques instants dans cet état spécial d'éveil. Un. Deux. Trois. Vous voilà revenue à Marie en 1988.

Dans quelques instants vous allez retrouver votre conscience normale et vous serez totalement unifiée car vous aurez uni en vous les énergies basses et les énergies élevées. Vous sentirez une puissante sensation de calme, de paix, d'équilibre, d'harmonie, d'union dans votre vie de tous les jours. Et ceci, vous le savez consciemment et vous le savez inconsciemment. Vous allez revenir à votre conscience normale en forme, pensant et agissant avec calme et assurance et vous rappelant tout ce qui s'est passé. Numéro un, revenez lentement à la surface. Sentez le calme et le bien-être qui sont les vôtres. Numéro deux, vous revenez de plus en plus. Numéro trois, vous êtes presque là maintenant. Numéro quatre, au prochain compte vous serez ici, vous serez présente. Ici, présente. Numéro cinq, soyez ici; soyez présente. Ouvrez les yeux, étirez-vous. Et soyez vous-même, vous-même. »

J'ai commencé à axer mes recherches sur la vie fœtale vers la fin de l'année 1984. Au bout de huit mois, j'avais déjà effectué une centaine de régressions et je me trouvai face à une énigme : une vingtaine de personnes à peu près sur les cent n'avaient absolument pas pu revivre leur vie intra-utérine, soit qu'elles n'étaient pas parvenues à « partir » après la phase de relaxation, soit qu'elles étaient bien retournées dans le ventre maternel mais avaient alors déclaré ne rien ressentir du tout, ni malaise ni bien-être ni même la présence de leur mère. Tout se passait comme si elles avaient vécu leur vie intra-utérine dans un état de neutralité parfaite. Et pourtant, ces mêmes personnes se révélaient tout à fait capables de ramener des souvenirs vivaces d'un passé beaucoup plus lointain. Vingt pour cent cela faisait tout de même une forte proportion et je me perdais en hypothèses : ma méthode était-elle en cause ou s'agissait-il plutôt d'un verrouillage particulier du subconscient, ce qui tendait alors à indiquer que pour ces personnes la période fœtale avait été marquée d'une charge émotionnelle particulière?

Je trouvais alors si peu de réponses satisfaisantes que – j'ai expliqué ceci dans *Nous sommes tous immortels* – je demandai à mes rêves de me donner la solution. Comme je le fais dans ces cas-là, ainsi que tous ceux qui ont appris à utiliser le pouvoir créateur du sommeil et des rêves. Je réfléchis plusieurs soirs de suite à ce problème juste avant de m'endormir. Un matin je me réveillai avec cette certitude intime :

j'avais la solution. Mais je ne la retrouvais pas. Je me levai d'un bond, courus reprendre les fiches de toutes les personnes avec qui je m'étais heurté à un échec et entrepris de les relire systématiquement. Une chose me sauta soudain au visage : toutes, absolument toutes ces personnes avaient, à un moment donné de la régression, confessé le pénible sentiment de ne pas faire partie de ce monde, de ne pas vraiment lui appartenir. Dans la vie courante, ces personnes présentaient des troubles psychologiques (angoisses, problèmes de communication) et (ou) physiques (migraines, insomnies, etc.).

Se pouvait-il qu'il existe un lien entre la vie fœtale et tout ceci ? Je demandai à quelques-unes de ces personnes de venir refaire une séance. Et je découvris que toutes étaient nées soit d'une mère ambivalente ou froide, qui avait donc rejeté en partie la maternité, soit d'une mère aux émotions négatives.

Pour éviter d'avoir à porter un poids psychique trop lourd pour eux, ces enfants s'étaient donc coupés volontairement de leur mère aux environs du troisième ou du quatrième mois, parfois plus tard.

Une solution de survie lourde de conséquences car la mère, pour le fœtus, représente tout le monde extérieur. Elle est symboliquement ce monde, la vie, les autres. En se coupant d'elle, c'est du monde que le fœtus se coupe. Je réalisai soudain cela, bouleversé : certains enfants « viennent au monde » alors qu'ils sont déjà coupés de lui.

Voilà un destin qui peut paraître particulièrement lourd. mais il ne faut pas oublier que nous sommes sur terre précisément pour résoudre nos karmas. Tout ce qui nous arrive en cette vie n'est jamais que la réactivation de karmas antérieurs, une réactivation nécessaire à leur résolution. Je reviendrai là-dessus dans le chapitre consacré à la vision tibétaine des « roues de l'existence ».

On m'a parfois posé la question suivante : peut-on faire régresser les enfants dans leurs vies antérieures (ou leur vie fœtale) ? Je conçois que la perspective soit tentante. Pourquoi attendre si l'on peut « hâter la délivrance » et en résolvant plus vite certains karmas vivre plus tôt une vie plus pleine ? J'ai posé la question en 1982 au Dr Ernie Pecci, le psychiatre californien dont j'ai parlé plus haut. Sa réponse a été sans équivoque : non. Il n'est pas souhaitable de faire régresser les enfants car ils ont besoin de s'incarner davantage et non de prendre des distances vis-à-vis de leur incarnation présente. D'autre part, certaines expériences vécues en régression risqueraient de les traumatiser ou de semer la confusion dans leur esprit. Un enfant de six-huit ans qui ramènerait une vie où sa mère était sa tante et son père son neveu pourrait y perdre gravement son latin, et on le comprend.

En revanche, il semble bien que les mémoires d'événements antérieurs à cette vie soient encore logées d'une manière relativement superficielle dans l'esprit de nombreux enfants.

Témoin l'histoire du petit Frédéric que m'a racontée son père, un de mes amis qui s'intéresse aux vies antérieures (je le signale en préambule pour qu'on comprenne bien l'histoire).

« C'était il y a quelques années. Frédéric n'avait encore que six ans. Il avait attrapé une verrue plantaire très douloureuse. On sait ce que c'est : il fallait que Véronique, ma femme, lui gratte le pied tous les soirs à l'alcool pour que la verrue s'ouvre et c'était vraiment douloureux pour ce pauvre gosse. Cela faisait déjà quinze jours que ça durait et un soir il a eu tellement mal que ma femme est venue me voir et m'a demandé si je ne pouvais pas essayer de faire quelque chose pour le calmer. J'ai un peu de magnétisme dans les mains et en principe je n'aime pas trop m'en servir mais là, pour mon fils... Je suis allé dans la chambre de Frédéric et je lui ai dit : "Détends-toi. Papa va seulement mettre ses mains sur ton pied qui te fait mal pour te calmer." Il s'est laissé faire. J'ai posé la main et presque instantanément la douleur s'est apaisée. Frédéric avait fermé les yeux, comme je le lui avais demandé et il m'a dit tout à coup : "Je vois un petit Bouddha en or." J'ai été vraiment étonné, parce qu' "un petit Bouddha", pour lui, ça ne voulait pas dire grand-chose. Il ne savait pas ce que c'était. Je me suis demandé s'il n'était pas en train de faire quelque chose, une expérience particulière, peut-être une régression spontanée. Mais comme sa petite sœur qui avait alors quatre ans était à côté, pour qu'elle ne soit pas impressionnée, j'ai emmené Frédéric dans ma chambre. Et là je l'ai allongé de nouveau, j'ai remis mes mains autour de son pied. Il a fermé les yeux et s'est écrié de nouveau : "Je vois encore le petit Bouddha!" et tout de suite il a enchaîné : " Tu sais ce que je vois? Je vois un petit tableau et dans le tableau il y a un tambour et à côté un soldat de Napoléon avec un grand chapeau et un grand fusil!" Alors je lui ai dit :

– Écoute, Frédéric, rentre dans le tableau. Imagine que tu sautes dedans.

« Et lui, sans problème, en souriant, toujours les yeux fermés, m'a dit :

– D'accord! Je suis dedans.

« Et là j'ai vu son visage changer.

– Où es-tu maintenant? lui ai-je demandé.

– Je suis à cheval.

– Tu es habillé comment?

– J'ai, tu sais, des grandes bottes noires et des épaulettes et un chapeau, un chapeau... (il avait du mal à le décrire dans son langage d'enfant) un chapeau de gendarme comme dans Guignol mais à l'envers avec des plumes.

– Qu'est-ce que tu fais là?

– Je suis un cavalier.

– Tu es seul?

– Non. J'ai mes soldats derrière moi.

– Tu es le chef?

« Il a dit : " oui ", puis il a eu un petit moment d'hésitation et il a corrigé :

– Il y a un autre chef à côté de moi.

– C'est un général?

– Mais je ne connais pas les grades, moi! Un général, quelque chose comme ça.

– Qu'est-ce que tu fais maintenant?

– Je suis en haut de la colline. C'est la bataille.

– Qui est-ce qui est en face?

« Et là, il a eu un petit rictus; je sentais qu'il avait peur.

– Il y a les rouges. Ils attaquent. Ils sont là avec leurs fusils et ils montent.

– Tu connais les gens qui sont derrière toi?

– Ah oui! Il y a Cyrille et là il y a David [1]. Ils sont soldats derrière.

– Mais qu'est-ce qui se passe avec ton pied?

– Ben rien.

Et puis soudain il a fait une grimace :

1. Il s'agit de deux petits copains du football.

173

– Je viens de prendre une balle dans le pied.

– Et alors?

– Je tombe de cheval. Ça va, on m'aide. On me transporte.

– On te transporte où?

– Dans une grange. Toute cassée.

«Il a eu soudain une mine vraiment dégoûtée:

– Beurk, c'est horrible. Il y a plein de soldats blessés et on coupe les bras, les jambes!

– A toi, qu'est-ce qu'on te fait?

– Moi, on me porte, avec ma botte, et on me met sur la paille. Et là il a commencé à s'agiter. Je l'ai calmé, puis je lui ai demandé ce qui se passait.

– Il y a les rouges qui rentrent.

«Et il a commencé à me décrire un combat au corps à corps. Il était donc là, blessé et il regardait. Je lui ai dit de quitter tout cela. Et j'ai essayé de comprendre: Il y avait à peine trois mercredis que Frédéric allait à son club de foot où il s'était fait de nouveaux petits copains. Et voilà qu'il les reconnaissait comme ayant été ses soldats. Or c'est au foot, en prenant le ballon dans le pied, qu'il avait attrapé cette verrue plantaire. De plus, il ne s'intéressait pas à Napoléon. Il n'en savait pas plus sur lui qu'un autre enfant. Or voilà qu'il revivait cet épisode napoléonien où il était blessé au pied.

«Ce qui m'a beaucoup impressionné dans cette affaire, ajouta mon ami, c'est que j'avais fait moi-même un jour une régression – émotionnellement très forte – dans une vie antérieure où j'étais un soldat de l'armée de Napoléon. J'avais alors un demi-frère beaucoup plus jeune que moi (mon père, veuf, s'était remarié mais bien plus tard) et je l'avais pris comme aide de camp. Ce demi-frère, c'était mon fils, Frédéric. Et quand Frédéric a dit qu'il y avait quelqu'un à côté de lui, j'ai dû prendre sur moi pour lui poser la question suivante: je sentais mon cœur faire des bonds! Voilà. Il a eu cette vision et trois jours plus tard la verrue avait disparu, alors qu'il la traînait depuis presque vingt jours. Quant à la douleur, elle est partie tout de suite. On sait comment sont les enfants... Il s'est levé d'un bond. Il était tout content. Il est parti se coucher. Il avait bien aimé jouer à ce jeu...»

Chapitre 9

LA MORT

On l'a vu tout au long de ces lignes, revivre ses vies passées conduit aussi généralement à revivre ses morts passées et ces morts sont plus souvent pénibles que paisibles. En état d'expansion de conscience, on rencontre plus de morts par meurtre, exécution, accident, violence et de morts solitaires, injustes, voire désespérées que de morts douces entourées de l'affection de tous ses proches.

La raison en est que c'est le plus souvent au moment de la mort et dans ses circonstances mêmes que les karmas négatifs se nouent et qu'il est impératif, pour les dénouer, de refaire l'expérience de cette mort qui les a générés.

Comme l'explique, une fois encore, Roger Woolger: « L'expérience de la mort, qu'elle soit traumatisante ou paisible, est fréquemment le point d'accumulation de pensées négatives. Travailler sur les expériences de la mort permet d'exprimer et de libérer ces résidus psychiques. » Et d'obtenir par conséquent une rémission des symptômes maladifs, psychologiques ou physiques, liés à cette mort, comme on a pu le voir à travers tous les exemples donnés dans cet ouvrage. J'ai montré aussi comment s'effectuait cette libération après une prise de conscience qui suit directement la reviviscence de la mort physique. Je reviendrai sur tout cela en évoquant les roues de l'existence, dans le chapitre suivant, mais je voudrais, ici, insister sur un point : L'expérience qui consiste à revivre sa propre mort, surtout dans des circonstances pénibles, peut paraître a priori traumatisante. Or, pour avoir vu « mourir » dans leur vie passée des milliers de personnes, je peux dire qu'elle ne l'est pas. D'abord, bien entendu, parce que le phénomène de catharsis n'existe pas dans ce type d'expériences, comme je l'ai dit; ensuite et surtout parce que tous ceux qui refranchissent le seuil de la mort en état d'expansion de conscience en reviennent avec la même intense, indiscutable certitude que LA MORT N'EXISTE PAS. Comme l'explique Laurence, un témoin parmi d'autres, après avoir revécu une vie et une mort dans le passé :

« J'étais très inquiète au sujet de la mort. Penser qu'un jour je devrais quitter tout ce que j'aimais, que je cesserais d'exister, de penser me donnait des sueurs froides. Bien sûr, il y avait Dieu et tout ce que nous racontait la religion, mais ça restait abstrait. Et puis, là, en revivant ces vies passées, j'ai vraiment touché du doigt que je ne peux pas mourir, que je suis immortelle. J'ai vraiment ressenti, comment dire ? l'existence, la pulsation de mon âme immortelle au plus profond de moi ; cette âme qui voyage de vie en vie, j'ai vraiment compris que c'était moi. »

Illusions ? Mirages ? Si les témoins sont nombreux, il ne leur est guère facile de faire partager leur expérience sans passer pour des « allumés » ou des fous. Pourtant les voyageurs dans le temps ne sont plus les seuls aujourd'hui à témoigner d'une existence au-delà du monde physique, au-delà de la mort. Il en est d'autres, comme Marianne.

En cette fin d'après-midi, Marianne est assise dans son salon. Elle tricote en attendant son mari et ses deux fils qui doivent rentrer sous peu du lycée. Mais elle se sent bientôt prise d'une vague somnolence, dodeline de la tête, lutte un peu puis finit par s'endormir. Et aussitôt elle ressent une impression extrêmement bizarre : elle est en train de glisser hors de son corps. Voilà qu'elle se retrouve en train de flotter au plafond. Elle voit – agrandis comme par un effet de zoom – sa petite salle de séjour puis son corps qui a glissé vers l'accoudoir du fauteuil la tête penchée sur le côté. Le tricot qu'elle tenait est tombé par terre. Marianne flotte au plafond et ne ressent aucune angoisse ; rien qu'une espèce de détachement. Elle perd complètement la notion du temps mais se demande tout de même, à un moment donné, si elle ne devrait pas retourner dans son corps. Mais elle ne sait pas comment faire et, au fond, cela ne lui semble pas important.

Les murs se gondolent un peu. Elle réalise qu'elle pourrait les traverser si elle voulait mais quelque chose l'en retient : une attraction diffuse pour ce corps, en bas. A un moment donné, elle se sent comme aspirée par un tunnel à travers le plafond, mais elle revient dans la pièce. Son corps est toujours là et c'est dans le même état de calme et de sérénité parfaits qu'elle voit maintenant deux hommes, deux pompiers surgir dans le salon. L'un d'eux se précipite vers la fenêtre et l'ouvre; l'autre s'approche de son corps et applique un masque à oxygène sur son visage. Cet homme a autour de la tête une espèce de haute chevelure de flammes. C'est la dernière vision de Marianne qui se sent alors saisie d'une grande lourdeur. Tout disparaît.

Marianne se réveilla à l'hôpital et apprit qu'elle était « morte » à la suite d'une asphyxie au gaz. On avait réussi à la ranimer de justesse. Elle revit le pompier qui l'avait sauvée. C'était un homme blond aux cheveux courts sans trace d'aucune « chevelure de flammes ». Mais Marianne avait bien vu la scène dans ses moindres détails. Le pompier ne pouvait que confirmer ses dires. Et se contenter de l'écouter lorsqu'elle lui affirmait qu'elle était si bien.

Était-ce cela la mort?

Depuis une vingtaine d'années, la mise au point d'abord puis le perfectionnement de nouvelles techniques de réanimation ont permis de ramener à la vie un certain nombre de personnes parvenues aux portes de la mort, soient qu'elles aient été déclarées mortes selon les critères de la mort clinique (arrêt des fonctions respiratoires et cardiaques, baisse importante de la pression artérielle et de la température du corps voire, quand on a pu le constater, électroencéphalogramme plat) soit qu'elles aient seulement frôlé la mort et connu des comas profonds. Or les récits que font ces « revenants » de leur expérience « au-delà de la mort » – peut-on le dire ainsi alors que, par définition, la mort est ce dont on ne revient pas? Mais c'est en ces termes que les intéressés eux-mêmes affirment, sans équivoque, l'avoir vécue –, ces récits, donc, sont proprement stupéfiants. Comme celui de Marianne ou encore comme celui de Marcel, un représentant de commerce qui a pris contact avec moi l'année dernière. Voici son histoire, telle qu'il a éprouvé le désir spontané de me la raconter :

« C'était un vendredi soir. Je rentrais à Paris après une tournée d'une semaine en province où j'avais fait beaucoup de kilomètres et vu beaucoup de clients. Il était tard : j'avais dîné avec un concessionnaire avant de reprendre la route. Il me restait trois cents kilomètres à faire en prévision desquels je n'avais pas bu une goutte d'alcool pendant le dîner.

Je roulais donc sur une petite route de campagne. La nuit était très sombre et le ciel bas. C'était le début de l'automne. J'écoutais la radio tout en pensant à tout et à rien et je sentais peu à peu la torpeur m'envahir. Je me disais à moi-même : " Marcel, ne fais pas l'âne. Ne t'endors pas. " En même temps j'avais l'impression qu'une petite voix me suggérait : " Il faudrait peut-être que tu t'arrêtes pour dormir une heure ou deux. " Mais j'avais envie de rentrer à la maison ; de voir ma femme et les enfants. Alors j'ai mis la radio un peu plus fort. J'ai ouvert la fenêtre pour faire entrer l'air frais et j'ai continué à rouler. Malgré tout, je sentais mes paupières s'alourdir. Je devais rouler à 90/100 km/h. Et voilà. Tout ce dont je me souviens, c'est d'un grand choc.

Dans ce qui m'a semblé être la seconde d'après, je me suis senti flotter comme si j'étais un ballon de gosse suspendu dans l'air à trois ou quatre mètres de hauteur et retenu par une ficelle : J'étais immobile mais je dansais un peu sur place. J'ai vu la voiture encastrée dans un arbre. Puis tout a disparu. Je me suis retrouvé dans une lumière dorée et chaude. Et dans le silence le plus total. Il se formait autour de moi des nuées argentées, comme dans une fantasmagorie. J'ai pensé à ma femme, à mes enfants mais sans angoisse ni souci, ni tristesse. Je me sentais étrangement détaché. Puis j'ai vu un grand lilas blanc, magnifique et cela m'a fait un immense plaisir. J'ai eu cette pensée bizarre : " Je suis devenu un lilas blanc. Mais alors où est mon corps ? Est-ce qu'on l'a enterré ? " J'ai eu alors des idées qui ne m'étaient jamais venues à l'esprit. Je me disais : " C'est mon corps, dans la terre, qui a donné naissance à ce lilas blanc. Je me suis transformé en lilas. Mais je suis aussi un nuage. Puisque je flotte dans l'air. " Puis j'ai senti une pluie fine, légère et j'ai pensé : " Tiens, je suis aussi la pluie. " Puis je me suis senti transformé en chaleur, en lumière, cette lumière dorée qui illuminait le lilas. J'avais l'impression que les éléments de mon corps s'étaient répandus dans tout l'univers, étaient devenus l'univers. J'étais le ciel, la terre, la mer, je n'étais plus rien et j'étais tout et je me disais : " Qu'est-ce que c'est beau la mort! En fait, je vis encore. Pourquoi n'ai-je pas connu ça plus tôt? " Puis j'ai pensé soudain : " Les enfants vont avoir de la peine. Et moi, est-ce que j'ai de la peine? Non. Je ne ressens rien. " Il n'y avait que ce silence, ce bien-être.

Et puis tout à coup tout s'est brisé net. J'ai eu l'impression que je tombais dans le noir et j'ai entendu un vacarme épouvantable. Puis j'ai eu froid, affreusement froid et c'est venu peu à peu : une sensation d'étouffement, d'emprisonnement et j'ai pensé avec terreur : " Non, ce n'est pas la mort; c'est la vie! " J'avais de nouveau un corps et ce corps me faisait immensément mal. Je le sentais tiraillé à droite, à gauche, hissé vers le haut, relâché. Dans la seconde qui a suivi, j'ai réalisé : j'avais le volant de la voiture encastré dans la poitrine. Et la tête dégoulinante de sang. Plusieurs personnes s'affairaient autour de ma voiture. Il y avait une ambulance et deux autres véhicules avec d'infernales lumières clignotantes, des gens qui parlaient dans des mégaphones (c'est du moins l'impression que j'ai eue à ce moment-là; bien sûr, ils ne faisaient que s'affairer normalement autour de moi pour me dégager. »

Marcel avait les jambes et une épaule brisées, la poitrine enfoncée, une fracture du crâne; en tout plus de quinze fractures. Il était resté près d'une demi-heure coincé dans les tôles fracassées de sa voiture avant qu'un autre automobiliste ne le découvre et aille chercher les secours. Il s'en est sorti avec une légère claudication qu'il gardera jusqu'à la fin de sa vie sans doute, mais aussi le souvenir de ce qu'il a vécu dans ce que les médecins ont identifié comme un coma dépassé et qui l'a rendu à la vie différent.

Le premier à avoir rassemblé des témoignages de ce qu'il a appelé les « Near Death Experiences », les expériences « d'approche de la mort » ou « de mort rapprochée » – plus couramment abrégées en « N.D.E. » – et à les avoir fait connaître au grand public, est un Américain, le Dr Raymond Moody. Son livre, *la Vie après la vie*, paru il y a dix ans et traduit en trente-deux langues, a connu un fabuleux succès (dix millions d'exemplaires vendus). C'est qu'à la lumière de ces expériences, ce sont toutes nos convictions sur la mort et l'après-vie qui se trouvent remises en cause.

179

Se pourrait-il que l'après-vie et en tout cas la survie après la mort ne soit désormais plus objet de croyance mais de connaissance?

C'est ce que pense le Dr Elizabeth Kübler-Ross. Docteur honoris causa d'une multitude d'universités tout autour du monde, tant pour ses travaux sur la mort que pour l'accompagnement des mourants auxquels elle a voué sa vie, ce médecin thanatologue américain d'origine suisse a recueilli avec son groupe de travail environ vingt mille témoignages de personnes ayant eu une N.D.E.

Ses conclusions rejoignent celles du Dr Moody, de Kenneth Ring, et en général de tous les chercheurs qui se penchent depuis tout juste une vingtaine d'années sur le sujet : l'expérience de la mort – qui est la même pour tous, croyant ou athée, occidental ou oriental, chrétien, bouddhiste ou musulman, jeune ou âgé, puissant ou misérable – est une seconde expérience de naissance à une autre existence. Et cette existence n'est plus désormais affaire de croyance mais de connaissance.

«Au moment de la mort, explique-t-elle [1], il y a trois étapes. Avec le langage que j'utilise pour de très jeunes enfants mourants, je dis que la mort physique de l'homme est identique à l'observation que nous pouvons faire lorsque le papillon quitte le cocon. Le cocon et la chenille sont le corps humain passager. Ils ne sont pas identiques à vous, n'étant qu'une maison provisoire. Mourir est tout simplement déménager dans une plus belle maison, symboliquement s'entend.

Dès que le cocon est endommagé de façon irréversible, que ce soit par suicide, meurtre, infarctus ou maladie chronique – peu importe – il va libérer le papillon, c'est-à-dire votre âme. Dans cette deuxième étape, lorsque votre papillon, toujours symboliquement, aura quitté son corps, vous vivrez des événements importants que vous devez connaître pour ne plus jamais avoir peur de la mort : vous serez approvisionnés en énergie psychique alors que, dans la première étape (celle de votre vie physique) vous l'êtes en énergie physique. C'est pourquoi vous avez alors besoin d'un cerveau qui fonctionne, c'est-à-dire d'une conscience éveillée, pour pouvoir commu-

1. Basé sur diverses conférences réunies dans *la Mort est un nouveau soleil*, Éd. du Rocher.

180

niquer avec les autres. Dès que ce cerveau – ou ce cocon – est trop endommagé, vous n'avez évidemment plus de conscience éveillée. Au moment où celle-ci vous manque, c'est-à-dire lorsque le cocon est endommagé au point que vous ne puissiez plus respirer et que vos pulsations cardiaques et vos ondes cérébrales ne puissent plus être mesurées, le papillon se trouve déjà à l'extérieur du cocon. Ce qui ne veut pas dire que vous êtes déjà mort mais que le cocon ne fonctionne plus. En quittant ce cocon, vous arrivez dans la deuxième étape : celle de l'énergie psychique. Les énergies physique et psychique sont les deux seules énergies que l'être humain puisse manipuler. (...)

Dès que vous êtes un papillon libéré, c'est-à-dire dès que votre âme a quitté le corps, vous vous apercevez tout d'abord que vous voyez tout ce qui se passe sur le lieu de votre mort, dans la chambre de malade, sur le lieu de l'accident ou là où vous avez quitté ce corps. Vous ne percevez plus alors ces événements avec votre conscience mortelle mais avec une perception nouvelle.

Vous enregistrez tout et ce au moment où vous n'avez plus de tension artérielle, où vous n'avez plus ni pouls ni respiration, parfois même en l'absence d'ondes cérébrales. Vous savez exactement ce que chacun dit et pense et comment il se comporte. Et vous pourrez, par la suite, dire avec précision qu'on a dégagé le corps de la voiture accidentée avec trois chalumeaux de découpage. (Souvenons-nous de Marcel.)

On ne peut expliquer scientifiquement que quelqu'un qui n'a plus d'ondes cérébrales puisse encore enregistrer ce qui se passe autour de son corps mort. Les savants doivent être humbles. Nous devons accepter avec humilité qu'il y ait des milliers de choses que nous ne comprenons pas encore. Mais cela ne veut pas dire que ces choses, uniquement parce que nous ne les comprenons pas, n'existent pas ou ne sont pas réalité. »

De fait, un sondage réalisé en 1982 par l'institut Gallup a révélé que huit millions d'Américains avaient déjà fait l'expérience d'une « mort rapprochée » après une mort clinique ou un coma dépassé. Beaucoup ont raconté alors comment, dans un premier temps, ils s'étaient retrouvés flottant hors de leur corps. Le Dr Hélène Wambach, psychologue clinicienne, qui a aussi été l'une des pionnières en matière de recherche sur les vies antérieures nous a raconté, à ma femme Marguerite et à moi, une expérience similaire lors d'une visite que nous lui avons faite à son domicile de Pinole de l'autre côté de San Francisco, sur la baie, en 1984. Hospitalisée pour de graves troubles cardiaques, elle s'était, nous dit-elle, sentie glisser hors de son corps. Elle avait pu alors observer l'équipe médicale autour d'elle. Elle se souvenait très bien de sa vision du chirurgien donnant des ordres rapides et des infirmières qui se précipitaient sur son corps. Elle-même se sentait alors dans un état de bien-être identique à celui que Marcel a décrit. Quelques instants après – quoiqu'elle ait totalement perdu la notion du temps – elle entendit une voix lui intimer : « Ce n'est pas le moment ; il faut que tu redescendes. » Elle était redescendue dans ce corps torturé (c'était son deuxième coma dépassé sur une table d'opération) qu'elle a définitivement quitté dans les mêmes circonstances en août 1985.

Tous ces témoignages concordants devraient – soit dit entre parenthèses – inciter médecins et infirmières à faire attention aux paroles qu'ils prononcent durant une intervention chirurgicale, même et surtout si le patient est totalement inconscient. Comme le souligne Elizabeth Kübler-Ross, un malade sous anesthésie générale qui entend les commentaires parfois négatifs de l'équipe chirurgicale semble recouvrer la santé plus lentement (et parfois ne la recouvre pas du tout). En revanche, dit-elle, « il faut savoir que si vous approchez le lit de votre mère mourante ou d'un ami mourant, même dans un coma profond cette personne peut entendre ce que vous dites. Et la loi de fraternité nous fait prendre conscience qu'il n'est, en aucun cas, jamais trop tard pour dire " je regrette ", " je t'aime " ou tout ce que vous avez envie de dire. (Mais pour de telles paroles, il n'est jamais trop tard puisque, même après la mort, les personnes qui ont laissé leur corps de chair entendent encore ce qu'on leur dit) ».

Ce premier paramètre de la N.D.E. (Raymond Moody en a relevé neuf en tout, comme nous allons le voir), la sortie hors du corps, est corroboré par des témoignages encore plus troublants que les autres, d'aveugles de naissance ou de sourds qui s'avèrent capables, une fois réanimés, de décrire en détail les objets, les couleurs et les personnes présentes autour de leur corps ou de rapporter toutes leurs paroles. Comme si dans l'au-delà, les infirmités n'existaient plus. « J'avais de nouveau mes belles boucles », a déclaré à Elizabeth Kübler-Ross une petite fille sous chimiothérapie quand elle est revenue à la vie. « Je pouvais bouger et parler sans problèmes, comme avant », raconte une malade affligée d'une sclérose en plaques.

« Simple projection du désir », rétorquent les sceptiques, « ou illusion provoquée par le manque d'oxygène, ou l'anesthésie ». Comme dit Elizabeth Kübler-Ross, « s'il ne s'agissait ici que d'un manque d'oxygène, j'en prescrirais à tous mes aveugles! ». Mais à quoi bon chercher à convertir celui qui, comme pour la vie de l'enfant avant la naissance ou les vies antérieures, se refuse à admettre les faits. Un jour il verra et il comprendra.

Après cette sortie hors du corps, qui s'accompagne d'une prise de conscience du fait que l'on est mort (deuxième paramètre selon la classification de R. Moody), comme on a pu le voir à travers les exemples de Marianne et Marcel et, dans un second temps, d'un sentiment de paix et d'une absence totale de souffrance (troisième paramètre) vient la rencontre avec d'autres êtres. « Personne ne meurt seul », dit Elizabeth Kübler-Ross. Lorsque l'on quitte son corps, on entre dans un monde où la force de la pensée peut tout. Il suffit de penser à quelqu'un pour se retrouver à côté de lui, fût-il en fait à des centaines de milliers de kilomètres. Ainsi la mère se rend-elle auprès de ses enfants, l'enfant auprès de ses parents, etc. Par ailleurs presque tous les témoignages font état de rencontres avec des personnes décédées, le plus souvent des parents ou amis. (Il faut noter à ce propos que certaines de ces rencontres se produisent alors que la personne en N.D.E. ignore encore la mort de la personne qu'elle croise dans l'au-delà, apprenant de ce fait en cet instant qu'elle est morte. C'est souvent le cas lors d'accidents, de voiture par exemple, qui voient décéder une partie des membres d'une même famille. Mais quelles que soient les circonstances, on n'a, jusqu'à ce jour, pu relever aucune erreur sur la nouvelle de la mort de quiconque lors d'une N.D.E.) Ces rencontres (quatrième paramètre) se font parfois avec des « êtres de lumière », des guides, un ange gardien personnel. L'épouse d'un ami médecin me racontait récemment qu'au moment de mourir, sa grand-mère s'était écriée : « La dame blanche, elle est là. Elle vient me chercher ! » Elle et son mari, à l'époque, n'avaient pu que conclure à un phénomène hallucinatoire.

Après ces rencontres, la personne se sent soudain aspirée dans une espèce de tunnel noir (cinquième paramètre) ou alors elle se sent monter dans l'espace à une vitesse vertigineuse et s'éloigner de la terre (sixième paramètre). Au bout de ce voyage ou de ce tunnel rayonne une lumière blanche d'une clarté et d'une beauté absolues et qui « n'éblouit pas », tous les témoignages sont précis et bien d'accord sur ce point. Cette lumière constitue le septième paramètre. (Les Tibétains l'appellent la vacuité, la lumière qui éclaire la Vallée de la mort.)

Plus il approche de cette lumière, plus l'être est enveloppé dans un amour pur, inconditionnel, indescriptible. Cette lumière prend souvent la forme d'un « être de lumière » rayonnant d'amour et dont parlent avec nostalgie ceux qui sont revenus à la vie physique, bien contre leur gré (huitième paramètre) tant ils se sentaient attirés par cet être de lumière.

Ceci me rappelle beaucoup ce que j'ai vécu lors de ma régression auprès de Govenka, quatre mille ans plus tôt. On se souvient que Govenka avait quitté son corps de chair pour accompagner un vieux sage dans le voyage de sa mort, dans son basculement paisible dans un autre plan de conscience. Govenka et le vieil homme étaient sortis de leurs corps denses pour se retrouver deux êtres impalpables dans un univers impalpable. Un immense sentiment de joie et de paix les enveloppait comme une onde de chaleur lumineuse et les portait tout doucement vers une lumière blanche. La lumière était brillante et pourtant ne les aveuglait pas. Elle était à la fois forte et douce, terriblement attirante. Comme ils avançaient, portés par un amour plus intense que n'importe quel sentiment terrestre, ils avaient franchi plusieurs niveaux de compréhension, un peu comme on grimpe un à un les barreaux d'une échelle. A l'abri du temps et de l'espace, le vieil homme avait revu sa vie dans un flash spontané qui, pourtant, s'étirait en chapelet d'images. Puis ils avaient atteint la lumière blanche qui les avait enveloppés. Et c'est alors que Govenka avait su que l'heure était venue pour elle de repartir vers le plan terrestre d'où elle s'était un moment échappée. Car si elle franchissait la limite de la lumière, si elle pénétrait dans le plan supérieur, elle ne pourrait plus revenir. Elle deviendrait une conscience seule, libre et ne se rappellerait même plus qu'une enveloppe de chair l'attendait là-bas, en bas, dans la maison du vieillard. Aucune force, fût-ce celle de Veda, ne pourrait alors la faire revenir sur ses pas. Or elle n'avait pas achevé son expérience terrestre et avait dû s'en retourner malgré le désir qu'elle avait de rester là.

J'ai revécu la vie de Govenka en 1984. Je ne connaissais pas, alors, les travaux de Kübler-Ross. J'avais entendu parler de Moody mais je ne l'avais pas lu encore. Et pourtant comme tout concorde!

Comme on l'a vu pour le vieil homme qui accompagnait Govenka, dans cette lumière ineffable, l'âme qui vient de quitter le monde physique voit défiler toute sa vie présente (neuvième paramètre) du premier au dernier jour. Chacune de ses pensées, de ses paroles, chacun de ses actes se présente à sa mémoire, agrandie semble-t-il à l'infini, avec ses conséquences sur soi-même et sur autrui.

Au terme de ce bilan – qui s'effectue, rappelons-le, sous le regard de l'amour absolu – tous ceux qui ont pu raconter leur expérience parce qu'ils sont revenus ont reçu l'ordre, comme Govenka, de repartir vers leur enveloppe physique et leur vie terrestre. Et tous témoignent y être revenus définitivement changés, persuadés désormais que seuls comptent au monde deux choses : l'amour et la connaissance.

Et pourtant, malgré tous ces témoignages qui circulent, toutes ces recherches menées un peu partout dans le monde, l'acte de mourir demeure un secret dont on ne parle pas plus aux adultes qu'aux enfants. Il est pourtant essentiel que chacun puisse se préparer à sa propre mort dans le calme et la dignité et sans doute n'est-il pas inutile, à cet effet, de rappeler ici les travaux d'Elizabeth Kübler-Ross sur l'accompagnement des mourants.

Elizabeth Kübler-Ross, qui a accompagné des centaines de mourants, a démontré que tout le monde, face à sa propre mort manifeste le même comportement psychologique.

Dans un premier temps, au moment où la personne apprend qu'elle est condamnée, elle nie d'un bloc : non, il ne s'agit pas d'une maladie mortelle. On se trompe. Elle va guérir. Cette négation farouche, brandie en bouclier contre l'intensité d'une vérité trop difficile à accepter, va revenir épisodiquement à tous les stades de la maladie.

Mais tout de même passé le premier choc, la personnalité enclenche un autre mécanisme de défense : la colère. C'est la deuxième phase. « Pourquoi moi ? », se demande le malade. C'est une phase souvent très difficile pour la famille et pour l'entourage – notamment le personnel hospitalier – car le malade projette sa colère et son hostilité sur tout ce qui l'entoure, souvent de façon totalement arbitraire et injuste.

Passé ce deuxième stade, vient la phase de la négociation. Il s'agit, cette fois, de repousser l'inévitable par la méthode douce. Le malade raisonne à peu près ainsi : « Si Dieu n'a pas répondu à mes cris de colère, peut-être m'entendra-t-il si je formule ma demande avec douceur. » Et repentir, car dans cette démarche entre une culpabilité latente. Comme un enfant, la personne est prête à offrir sa « bonne conduite » contre sa guérison, sa culpabilité se manifestant souvent dans les domaines religieux, moral, etc. Des conseils spirituels s'avèrent alors souvent nécessaires. Selon les croyances de la personne, il est bon de faire appel à l'aumônier de l'hôpital, un ami prêtre ou tout simplement un « frère dans le Dharma » pour l'aider à se préparer à partir dans la paix.

La phase suivante est celle de la dépression. Impossible, désormais, de nier la maladie. Le malade est affaibli, amaigri, le plus souvent hospitalisé, de toute façon soumis à de multiples traitements, quelquefois à des opérations chirurgicales.

A voir ainsi un être cher baisser les bras, l'entourage a tendance à réagir à contre-pied et à s'efforcer par tous les moyens de redonner espoir au malade. C'est un tort, sans doute, car cette dépression a pour but de faciliter le détachement du malade de tout ce qu'il aime, de ses proches, de la vie dont la perte est imminente. Elle l'aide à pénétrer dans la cinquième phase qui est aussi la dernière : l'acceptation.

Si le malade a pu traverser les stades précédents – c'est-à-dire, bien souvent, s'il a été informé assez tôt de son état – il se retrouve alors sans angoisse ni révolte, prêt à accepter, désormais sa propre mort qui vient.

Dans son livre, *Mourir dans la tendresse* [1], Christiane

1. Éd. Le Centurion.

Jomain, une infirmière-chef, reprend ces différents stades et étudie quels réflexes inconscients ils suscitent en réponse dans l'entourage du mourant et, en milieu hospitalier, parmi le personnel médical : médecins, infirmières, aide-soignantes, stagiaires, etc. Et l'on s'aperçoit, non sans surprise, que l'entourage a tendance à renvoyer en écho ses propres comportements au malade.

Ainsi dans la première phase, la négation, c'est le refus qui domine aussi chez le personnel hospitalier : « Pour ce malade, il n'y a plus rien à faire. » « La partie est perdue. Nous ne pouvons pas le garder. » « Il faut le passer en moyen séjour » ou encore : « Isolons-le pour que les autres malades ne le voient pas. »

Mais, souligne Christiane Jomain, on peut, à partir du moment où l'on en prend conscience, substituer à ces réflexes irraisonnés des conduites plus maîtrisées. Changer, pour commencer, le refus en accueil et se demander ce que l'on peut faire pour que ce malade ne se sente pas abandonné, pour le soutenir dans ces jours qui s'annoncent difficiles. Est-il vraiment indispensable de le changer de service ? Devons-nous l'isoler ou au contraire le prendre suffisamment en charge pour que ses compagnons de chambre se sentent à la fois en sécurité et associés à l'aide dont il a besoin ?

De même, la réaction – cette fois inverse à celle du malade – qui consiste à nier à son tour la mort lorsque le malade y fait allusion (M. X a dit : « Je vais mourir. Est-ce difficile de mourir ? » J'ai envie de répondre : « Mais voyons, ne parlez pas comme ça, ne dites pas de bêtises. Qui parle de mourir ? ») Cette réaction-là peut être changée en acceptation de ce qu'exprime le malade. Il n'est pas besoin de répondre par oui ou par non. Si l'on ne sait pas, on peut se taire. En tout cas montrer que l'on est attentif. Il est bon de reformuler la question : « Vous dites que vous allez mourir, vous sentez-vous plus fatigué ? » On attend la réponse. Ou encore prendre la main et répondre : « Je vous promets que nous sommes là pour vous aider et vous soulager. Vous pouvez compter sur notre présence. »

Il en va de même dans la deuxième phase, la colère. Celle du mourant provoque souvent celle du soignant : « Vous bougez trop. Restez tranquille. Vous allez arracher votre perfusion. On va vous attacher (vous faire une piqûre) si vous continuez. »

On peut, souligne Christiane Jomain, lui substituer calme et compréhension : « Vous êtes mal à l'aise avec cette perfusion, mais elle vous empêche d'avoir soif » ou bien « elle contient un médicament qui vous soulage ». « Dans quelle position vous sentiriez-vous le mieux ? Voulez-vous que j'installe autrement votre bras ? », ou bien « je reste un moment avec vous » ou encore « on posera la perfusion quand votre fils sera là ; le temps passera plus vite ».

Même chose dans la phase de marchandage, que l'entourage du malade reprend, le plus souvent, à son compte : « Vous n'avez encore rien mangé ! Comment voulez-vous prendre des forces ? » « Vous cachez vos médicaments dans le tiroir. Si vous continuez, on sera obligés de le dire au médecin. » Alors qu'on peut réagir ainsi : « Vous n'êtes pas affamé ; c'est normal. Vous ne faites pas beaucoup d'exercice. Ce que l'on vous a servi ne vous dit rien ? Qu'est-ce qu'il vous ferait plaisir de boire et de manger ? Voulez-vous que nous parlions ensemble de votre traitement avec le médecin ? »

« Car, poursuit Christiane Jomain, si l'on n'y prend pas garde les réactions se font en cascade. L'agressivité du malade entraîne celle de la famille et celle du personnel soignant. La dépression provoque soit le découragement de l'entourage soit sa colère. Seul le soignant averti et lucide aura le recul nécessaire pour ne pas entrer dans ce processus. La connaissance des réactions possibles des malades ou de leur famille lui permettra de les accepter et de contribuer à leur évolution. »

En novembre 1986, nous animions avec Marguerite un séminaire sur la mort en deux volets : le premier sur l'accompagnement des malades au quotidien jusqu'à leur mort et sur les accompagnants eux-mêmes, pour les aider à remplir leur rôle ; le second sur tout le processus mystique de la mort et du passage dans l'autre plan. Dans ce style de séminaires sont généralement présentes des personnes concernées de près par le problème, soit qu'elles aient perdu un être cher, soit que l'un de leurs proches soit actuellement condamné, soit encore qu'elles travaillent en milieu hospitalier. Chacun s'exprime, en général, sur les raisons de sa présence. Une infirmière nous raconta l'histoire suivante :

« Il y a quelques années, j'ai soigné à domicile une dame qui avait un cancer. Je venais tous les jours lui faire une piqûre et son mari m'avait bien prévenue au départ : " Je vous interdis de dire à ma femme ce qu'elle a. "

Les mois passant, son état de santé a commencé à décliner sérieusement, mais le mari restait ferme sur ses positions. Je me sentais mal à l'aise, évidemment, vis-à-vis de cette femme mais je n'avais pas le droit d'aller contre le choix de son mari. Quant à elle, elle ne soupçonnait pas une seconde ce qu'elle avait et elle était persuadée qu'elle allait s'en sortir. Elle n'a réalisé – brutalement – qu'elle allait mourir que huit jours à peine avant sa mort. Elle est alors entrée dans une colère terrible, nous accusant, son mari et moi de l'avoir trahie en lui mentant. La malheureuse est morte quelques jours plus tard dans cet état de colère intense. »

Or ceci, d'un point de vue spirituel, est extrêmement grave car comme nous l'avons vu tout au long de ces pages, les colères que l'on emporte en mourant transmigrent avec soi dans d'autres incarnations où elles génèrent de sérieuses difficultés et des problèmes. Mais il faut croire que cela n'entrait pas dans les considérations de cet homme car, nous raconta l'infirmière, elle fut encore appelée chez lui quelques années plus tard. Veuf à cinquante ans, il s'était remarié et voilà que sa deuxième épouse, un an à peine après son mariage, était à son tour frappée d'un cancer. Et aussi invraisemblable que cela puisse paraître, le même scénario se répéta. Cet homme interdit à l'infirmière de laisser entendre quoi que ce soit à sa femme qui, comme la première épouse, réalisant la vérité à quelques jours de sa mort, entra non seulement dans une colère terrible mais mourut en proie à une peur intense.

L'infirmière avait été profondément choquée par toute cette histoire et portait en elle, depuis ce temps-là, un pénible sentiment de culpabilité dont elle cherchait à se défaire. C'est la raison pour laquelle elle était venue assister à ce séminaire.

Voilà qui pose le problème : faut-il dire ou non la vérité sur leur état aux malades ? Elizabeth Kübler-Ross est formelle : il faut dire la vérité aux personnes lorsque celles-ci la demandent. S'il est clair que le malade ne veut pas l'entendre, il n'appartient pas au médecin ou à quiconque dans l'entourage d'aller contre sa volonté. Mais chaque fois que c'est possible, il faut dire à l'intéressé(e) exactement ce qu'il en est. Car c'est seulement ainsi qu'on peut, bien évidemment, aider un être à se préparer à partir de l'autre côté.

Ce n'est pas facile d'aider quelqu'un à passer dans la lumière. Il faut d'abord que le lien entre celui qui part et celui qui reste soit profond, personnel; qu'il soit d'amour et de fraternité, pas seulement de complicité physique ou intellectuelle. Lorsque cet amour ou cette fraternité existent vraiment, le problème se réduit alors à peu de choses. Le veilleur va s'efforcer de penser le moins possible. Il lui faut entraîner le mourant en avant, dans un courant d'amour constamment plus profond. Car ce ne sont pas les concepts, si élevés soient-ils, qui aident un mourant à dépouiller le vêtement extérieur dans lequel il a été enfermé et a peiné toute sa vie. Ceci implique un acte de pur oubli de soi, de la part du veilleur, qui doit se détacher de ses propres sentiments (de ses propres peurs) face à la mort, mais aussi de sa peine et de son désir ardent de retenir auprès de lui la personne aimée, pour s'identifier au mourant dans un acte de pure volonté désintéressée. Et là encore, il faut faire face à un dernier écueil qui consiste à déployer tant d'activité à calmer les douleurs ou les angoisses mortelles de celui qui s'apprête à partir que l'on en oublie le but lui-même.

Beaucoup sont consternés par la profondeur de leur ignorance au sujet du grand passage, lorsqu'ils ont à faire face à des circonstances critiques. Pourtant de plus en plus de groupes d'études se forment sur le phénomène de la mort clinique et de l'accompagnement des mourants. Il y a peut-être là un autre piège : celui d'institutionnaliser un domaine dans lequel tout est encore incertain. La seule certitude que nous ayons sur le passage de la mort étant que, comme celui de la naissance, comme celui de la vie, il réclame beaucoup d'amour.

N'oublions pas que c'est au moment même de la mort et dans la façon dont s'accomplit le passage que se profilent les vies futures. Donner à quelqu'un une mort paisible, ou du moins tout faire pour aider à ce qu'elle le soit, c'est aussi lui tendre la main par-delà le temps, comme on va le voir tout de suite en regardant tourner la roue de l'existence.

Chapitre 10

LES ROUES DE L'EXISTENCE

Que se passe-t-il après la mort? Comment les incarnations s'enchaînent-elles? Comment tourne la roue de nos existences successives?

Selon l'enseignement des Tibétains, après la mort – et avant de redescendre dans l'incarnation – l'âme entre dans ce qui est appelé le Bardo ou période intermédiaire entre les vies. Au moment de la mort, l'être quitte donc son enveloppe humide – le corps physique – et s'élève selon un rituel décrit dans le Livre des Morts (le Bardo-Thodol) et qui correspond exactement aux expériences d'approche de la mort, aux N.D.E. : il emprunte un tunnel au bout duquel il débouche dans une lumière blanche, dite « de claire félicité » dans laquelle il se fond au cours d'une extase mystique et cosmique. Mais ses vibrations n'étant pas suffisamment élevées pour qu'il se maintienne dans cette lumière blanche, il redescend d'un degré et pénètre alors dans le Bardo ou état intermédiaire; avant de redescendre encore, dans l'incarnation, cette fois.

C'est du moins le processus qui est généralement admis à partir de l'enseignement des Tibétains. Mais en relisant les notes que j'avais prises sur des centaines de séances, en relisant Woolger aussi, je me suis aperçu qu'il y avait là quelque chose qui ne cadrait pas avec la réalité. En effet, le processus de mort/renaissance ainsi décrit suggère une courbe « en cloche » avec la mort puis la montée dans les plans de conscience supérieurs, la période entre les vies puis la redescente dans les plans de conscience et l'accrochage dans le corps d'un bébé à naître. De ce fait on présuppose qu'un temps indéfini s'écoule entre la mort et la réincarnation. Or il est clair – on l'a montré tout au long de ce livre – qu'il existe un lien très étroit entre les incarnations successives d'une même âme. Ce lien est même si étroit que – Grof l'a démontré avec ses matrices périnatales – les expériences d'agonie dans les vies passées se trouvent symboliquement reproduites dans celles de la vie fœtale et de la naissance. Il apparaît, en conséquence, beaucoup plus vraisemblable qu'il s'écoule pour l'âme un temps zéro entre la mort et la réincarnation – même si, à l'échelle terrestre cent ou trois cents ans sont passés – et que l'ensemble vie passée / mort / montée dans les plans de conscience / période intermédiaire / choix d'incarnation / redescente / accrochage dans le corps d'un bébé / vie fœtale / naissance ne peut être figuré par une courbe en cloche mais plutôt par une boucle, une roue (comme on peut le voir sur la figure de la page 193).

J'ai, du reste, trouvé la confirmation de cela en relisant l'enseignement de l'école des Gelugpa du bouddhisme tibétain où il est précisé que le Bardo est en fait multiple. Il existe *des* états intermédiaires du Bardo que l'on pourrait traduire aussi par « niveaux de conscience ».

Le premier d'entre eux est expérimenté au moment même de la mort. Pour les Tibétains, c'est en cet instant – où elle transmigre d'un plan à un autre – que la conscience est à son degré le plus élevé. Avec pour corollaire que les pensées et les sentiments qui surgissent alors s'impriment très profondément en elle. D'où la nécessité de rechercher une mort paisible, afin que l'être qui s'en va parte libre de tout attachement. Car plus la tension au moment de la mort est forte, plus les résidus karmiques que sont nos pensées et nos sentiments sont forts eux aussi et plus grand le karma qu'ils vont générer.

Hélas, comme nous l'avons vu dans le travail sur les vies passées. C'est souvent l'inverse qui se produit. Nous mourons en proie à des sentiments violents qui vont créer des résonances et trouver des justifications dans les vies futures.

Le moment de la mort n'est pas seulement celui où le psychisme atteint son degré d'intensité le plus élevé c'est aussi, et dans un deuxième temps, celui où la conscience qui s'élève se voit offrir la possibilité de se défaire de tous ses attachements karmiques. Lorsqu'une personne meurt violemment mais accepte sa mort – et avec elle toute sa vie – sans haine ni rancœur, elle ne libère pas, ou très peu, de résidus karmiques négatifs et ne génère donc pas, ou très peu, de karma pour ses vies futures.

Le Bardo qui suit la mort est celui des visions de l'après-mort, après que l'être a quitté le corps. C'est à ce stade que se produit la vision de la «claire lumière de félicité» dans laquelle l'être peut entrer mais ne peut demeurer. Ces visions comportent aussi des images en relation, cette fois, avec la vie que l'on vient de quitter. C'est le fameux «bilan de l'existence» dont parlent ceux qui ont expérimenté une N.D.E. et qui permet de comprendre la leçon karmique de la vie qui vient d'être vécue. On peut retrouver cet état du Bardo lors du rappel à la conscience des vies passées; on l'a vu à travers divers exemples. Il permet alors à la personne qui vient juste de quitter son corps physique de tirer la leçon karmique de son existence passée, d'établir le lien qui existe entre elle et l'existence présente et, ce faisant, de dépasser son karma.

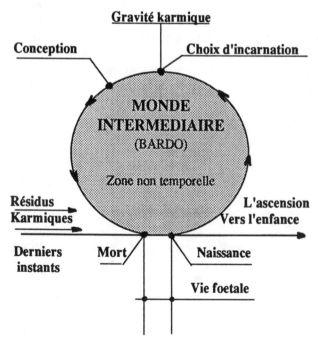

LA ROUE DE L'EXISTENCE

Les Tibétains mentionnent une forme de Bardo exceptionnelle qu'ils appellent « l'illumination suprême ». Elle est différente de l'expérience de la claire lumière de félicité car celle-ci est accessible à tous les êtres, quelle que soit leur mort, brutale, rapide, douce ou lente alors que l'illumination suprême ne peut être atteinte que par ceux dont le karma entier est liquidé. Ceux-là entrent alors dans la claire lumière de félicité et au lieu de redescendre ensuite les plans de conscience comme les autres, sont complètement absorbés en elle. C'est ce que l'on appelle aussi la « grande voie verticale ». Elle symbolise la fin de la nécessité de renaître, la transcendance totale de la roue de l'existence.

Vient ensuite ce que les Tibétains nomment « Bardo de la recherche de la renaissance », que l'on pourrait qualifier aussi de « gravitation karmique », puisque l'être est alors poussé à redescendre dans l'incarnation, à rechercher un père, une mère, un corps, une vie dans lesquels va pouvoir s'exprimer son karma. J'ai observé que la gravité karmique opère d'habitude à travers des réseaux de symboles. Par exemple, une blessure par épée dans une vie précédente va entraîner directement vers une vie où se manifestera un problème physiologique, un membre atrophié, une opération grave, etc., ou alors vers un utérus qui va faire l'expérience de la césarienne. Un être mort, enfant, de mort violente ou dans des conditions pénibles sera entraîné vers une vie où il souffrira, enfant, de façon similaire ou en des points du corps similaires, par accident, maladie, etc.

Une fois trouvé le lieu de son incarnation, l'être commence à descendre les plans de conscience pour arriver au moment de la conception. J'estime qu'il s'écoule en règle générale de quatre à six mois entre le moment où l'être est poussé par la gravité karmique à redescendre dans l'incarnation et le moment de sa conception.

La conscience in utero fait figure de Bardo séparé aux yeux des Tibétains. Il s'agit d'un état de semi-méditation, au cours duquel se produit la lente descente vers l'incarnation. Dans cet état, le fœtus commence à entendre les sons et plus généralement à ressentir tout ce qui provient de la mère. C'est alors que les résidus du passé commencent à se réactiver.

Le moment de la naissance est le moment clé du cycle tout

entier. C'est là que se réactualisent définitivement tous les samskaras non résolus, les résidus karmiques des morts passées douloureuses ou malheureuses, comme l'ont bien montré, encore une fois, les travaux de Stan Grof. Comme pour le moment de la mort, la reviviscence du moment de la naissance en état d'expansion de conscience permet de se libérer des gros résidus karmiques.

Enfin, le combat vie/mort est terminé. C'est le moment pour l'être de faire l'expérience du nouveau-né, expérience de libération et de décompression. Beaucoup retrouvent dans cette phase l'état de conscience élevé qu'ils ont jadis connu au moment de leur mort. Ils reconnaissent, avec intensité, leurs père et mère, ont l'impression profonde de savoir pourquoi ils sont revenus une fois encore ou font, tout simplement, l'expérience d'un état de félicité.

Tels sont les états intermédiaires, les Bardos qui président, selon les Tibétains, au mouvement de la roue de l'existence. Pour que l'on comprenne parfaitement le principe de cette roue, voici maintenant l'exemple de Jane.

Jane est mère de famille. Elle a douze enfants et vit en Irlande. Nous sommes en 1840 et la famine frappe partout, durement. Le mari de Jane n'a pas de travail. C'est la misère dans ce foyer que les deux aînés quittent pour aller trouver un sort meilleur ailleurs. Les semaines passent; les mois. La misère a fait place au drame. Plusieurs enfants sont morts de faim. Un soir le mari de Jane ne rentre pas. Abandonnée, désormais Jane doit faire face seule. Au fil des années, elle voit partir un à un ses enfants qui vont chercher fortune parfois jusqu'à ce nouveau monde dont on parle tant. Elle finit par mourir, d'usure, d'épuisement, seule. Elle meurt avec un intense sentiment d'amertume. On l'a abandonnée, trahie.

L'être qui s'appelait Jane quitte donc ce corps, monte dans l'autre plan et se retrouve dans la période entre les vies. Là, poussée par la gravitation karmique, cette conscience immortelle ressent, arrivée au sommet de la boucle, la nécessité de redescendre, de se réincarner. Elle commence donc lentement à descendre les plans de conscience. Entre quatre et six mois plus tard, le moment de la conception est venu. Elle jette deux fils de lumière dans la matière, l'un dans le spermatozoïde, l'autre dans l'ovule (c'est ainsi que s'accomplit la conception selon les Tibétains). Puis elle continue sa descente et vient s'accrocher dans le fœtus un peu avant l'âge de trois mois. Elle est désormais enfermée de nouveau dans un corps.

Mais un événement capital s'est produit au moment de sa descente dans l'incarnation. Car cet être, en fonction de ses résidus karmiques, a choisi son incarnation. Il a choisi ses parents, qui sont peut-être des êtres qu'il a déjà connus ou qui ont déjà été des membres de sa famille dans une autre vie. Et surtout il a choisi une mère. Quel type de mère, selon la classification de Rottman, l'être qui s'est appelé Jane, qui est mort dans le dénuement et l'abandon et qui va avoir besoin qu'on prenne soin de lui, a-t-il bien pu se choisir? Eh bien, d'après la loi karmique, il s'est choisi une mère catastrophique. Et parce que, selon le principe de la boucle, il s'est écoulé un temps zéro entre le moment de la mort de Jane et l'accrochage de sa conscience immortelle dans le fœtus, dès la vie fœtale, tous les résidus karmiques, tous les conflits non résolus du passé, vont se trouver réactivés. Ainsi, à peine est-il entré dans ce corps qui n'est encore que l'embryon d'un garçon (il y a eu basculement de sexe) dès trois mois donc, l'être qui jadis s'appelait Jane se retrouve en butte aux pensées hostiles de la mère qui « ne veu(t) pas de cet enfant » « ne sai(t) pas quoi en faire », etc. Et cet être ne sait plus très bien où il est. Il a besoin de la protection de sa mère. Il ne la sent pas; au contraire.

Il naît prématurément. A sept mois. A cet âge, il s'agit plus d'une éjection que d'un accouchement. Durant son passage dans le canal utérin, toutes ses mémoires antérieures se réactivent. Puis il sort dans un monde froid, hostile : on le met dans une couveuse. Il est très faible, mais viable. Tout cela le fait passer par une sorte d'agonie qui ressemble à l'agonie de Jane, un siècle plus tôt, mais extrêmement présente puisque le temps n'existe pas. La boucle est bouclée.

Le bébé commence à grandir et la mémoire du passé à se diluer dans la trame des jours qui passent. C'est un bébé difficile, qui hurle le jour et la nuit et fait un peu d'anorexie. La mère, qui n'est pas après tout une mauvaise mère, s'en occupe tant bien que mal. L'enfant grandit. Il devient un petit garçon fragile et souvent malade, assez caractériel, sujet à des crises de colère. Il cherche l'affection de sa mère. Et celle de son père, qui n'est jamais là et ne s'occupe quasiment pas de lui, car cet être (que nous appellerons Michel) s'est aussi choisi un père catastrophique.

Michel a une soif dévorante d'affection mais rien ne vient. Ni de ses parents, ni plus tard de ses petits camarades de classe dont il cherche en vain à capter l'attention et la sympathie. Car son besoin d'être aimé à tout prix en fait un enfant renfermé, ombrageux, difficile.

Vient l'adolescence. Michel est en conflit avec sa mère; moins avec son père, parce qu'ils se voient très peu et ne communiquent quasiment pas. C'est l'âge des premières amours. Michel jette son dévolu sur une amie de classe. Les deux adolescents flirtent. Lui est éperdument amoureux. Il ne lâche pas sa dulcinée d'une semelle, lui répète qu'il l'aime, que c'est si bon d'aimer. « Tu m'aimes, toi? Est-ce que tu m'aimes vraiment? » demande-t-il sans relâche à la jeune fille qui, bien évidemment commence à étouffer et finit par « larguer » Michel pour un autre garçon de la classe, plus drôle et moins « collant ».

Michel se retrouve seul. On l'a abandonné et il en est profondément meurtri. Voilà que, sans qu'il le sache, le drame ancien se remet en place. Il va se répéter encore, à dix-sept ans, à vingt, etc., chaque fois que Michel tombera amoureux à sa façon, passionnée, brûlante, exclusive. Il étouffe; on l'abandonne. Après chaque échec – et chaque période d'amertume qui s'ensuit – il retrouve pourtant espoir; tant sa soif d'amour est insatiable.

A vingt-deux ans, il rencontre une autre jeune fille. Ils ont une relation physique et cette fois-ci elle se retrouve enceinte. C'est tout à fait ce que souhaitait Michel inconsciemment : celle-ci, il va pouvoir la garder près de lui. Les deux jeunes gens se marient. Et l'enfer commence. En dépit de son jeune âge, Michel se conduit comme un vieux mari qui aurait épousé une femme jeune. Il est hyperpossessif, soupçonneux et jaloux. Le moindre regard échangé par sa femme avec un inconnu l'affole. Il invente des trahisons, pour un rien voit poindre l'abandon et fait des scènes terribles à son épouse qui finit par réclamer le divorce. Ils se séparent.

Michel est plus qu'atterré, il est la proie d'angoisses terribles : pourquoi ne l'aime-t-on pas? Quelle malédiction pèse sur lui? Il ne lui vient pas à l'idée qu'il puisse générer lui-même son malheur avec ses comportements. Et il lui semble parfois qu'il va devenir fou.

A ce stade, il se trouve devant ce que nous appellerons un choix karmique :

Ou bien sa phase de déprime va s'accentuer et il va «craquer» pour de bon et faire une dépression nerveuse. On le soignera et il s'en sortira, mais plus renfermé encore et aigri. Dans quelques années, quand il aura dépassé la trentaine, il rencontrera une femme et il unira son destin au sien mais sans l'épouser. Ce ne sera pas un couple très facile. Michel aura toujours ses sautes d'humeur et cette peur d'être abandonné au fond de lui. Mais il aura appris à la maîtriser et sa vie s'écoulera ainsi. A cinquante, soixante-dix ou quatre-vingts ans, il quittera son corps de chair en emportant avec lui son besoin d'être aimé inassouvi. Et sur la roue de l'existence, de nouveau, il fera le choix d'une incarnation où le karma non résolu de ses vies pourra se manifester. Jusqu'à ce qu'il comprenne et, ce faisant, s'en libère.

Il aurait pu s'en libérer dès cette vie. C'est l'hypothèse numéro deux, l'alternative offerte par le choix karmique, au moment du divorce :

Michel va effectivement passer par une phase de grosse déprime. Insomniaque la nuit, tenaillé par ses peurs et ses doutes le jour, il va réfléchir et décider d'entamer une psychothérapie : il veut comprendre pourquoi il retombe toujours dans les mêmes situations. Il a aussi envie de clarifier ses rapports avec sa mère. Là le destin va jouer ses farces et soit Michel rencontrera un praticien conventionnel qui le fera travailler sur son enfance et l'aidera à sortir graduellement de ce marasme qui dure depuis des années; soit il le fera tomber entre les mains de quelqu'un qui est ouvert aux recherches sur la vie fœtale et les vies antérieures et Michel décidera de faire un plongeon dans ses vies passées. Et il en exhumera une vie en Irlande, au siècle passé, durant laquelle il se prénommait Jane... Enfin ouvert à lui-même, Michel pourra s'ouvrir aux autres de façon authentique. Peut-être rencontrera-t-il alors quelqu'un qu'il aimera non plus par besoin d'être protégé et sauvé de sa solitude, mais pour aimer l'autre d'un amour inconditionnel et sans rien en attendre en retour.

A ce stade, il n'est sans doute pas inutile de rappeler que la révolution psychologique engendrée par le travail sur les vies antérieures et la vie fœtale conduit obligatoirement celui qui l'accomplit à passer par une série de hauts et de bas. Les phases euphoriques où l'on se sent libéré et clairement conscient de soi alternant avec les phases dépressives où se réactivent les perturbations et les problèmes qui sommeillaient dans l'inconscient. L'alternance de ces deux phases est indispensable pour qu'à la fois tous les résidus karmiques soient purgés et l'expérience assimilée en profondeur.

Beaucoup de gens, surtout ceux qui sont enfermés dans une structure morale rigide, se révoltent devant les phases « de descente » et refusent de laisser surgir certains contenus difficiles. C'est ainsi que s'est créée peu à peu une légende autour du travail sur les vies passées : il serait dangereux, déstructurant, etc. Il n'en est rien. Les phases de descente sont des phases normales du travail et vouloir les gommer revient à vouloir gommer la partie vitale, animale, matérielle de soi pour ne plus considérer que l'idéale. Malheureusement, chez beaucoup de personnes, les sens et les passions ne sont jamais que tranquillisés, endormis sous la surface et non pas libérés ni apaisés en profondeur. Le grand danger dans le travail sur les vies antérieures serait au contraire d'en faire un instrument de refoulement, de fuite ou de compensation.

Seule la transformation intégrale apparaît comme une voie d'ouverture à ceux qui savent que la tranquillité obtenue par l'endormissement des sens est insuffisante. La vraie sérénité ne vient qu'avec la liquidation des affects, des résidus du passé, des pulsions et des traumatismes verrouillés dans l'inconscient. C'est ainsi que celui qui s'est lancé à la recherche de lui-même apprend à accepter tour à tour ses phases de « hautes et de basses pressions » et à affronter sa propre peur, son angoisse et son désespoir parfois.

Dennis Boyes, un thérapeute américain, souligne dans un de ses livres [1] que dans ce contexte le terme de « travail spirituel » est impropre car il s'agit toujours, en fait, d'un travail psychologique. Le spirituel n'a pas besoin d'être travaillé ; il est depuis toujours parfait. C'est le psychisme qui fait obstacle à la présence du Soi, du divin en soi. Et voilà bien pourquoi au cours de cette révolution psychologique que repré-

---

1. *Évolution intérieure et problèmes psychologiques*, Dervy-Livres.

sente la plongée dans la vie fœtale et les vies antérieures les tendances problématiques et maladives se déclarent. (Il est d'ailleurs intéressant de noter que la libération des charges inconscientes ne pouvant s'opérer que dans et par une prise de conscience, les samskaras ont tendance à se « réfugier », à se fixer dans les zones du corps dont nous avons le moins conscience.) Des plaies, nous en avons tous, mais si bien refoulées que nous ne nous en rendons plus compte. Elles sont les résidus de nos expériences passées mal vécues ou refusées et ce sont elles qui entravent le développement naturel de notre ego et le gauchissent, de sorte qu'il parvient à l'âge adulte informe, fragile et instable. Il faut alors entreprendre de corriger ces manques venus de l'enfance ou des vies passées via le traumatisme de la naissance. Car il est plus aisé de transcender un ego bien structuré qu'un moi complexé et trouble.

Ainsi tourne la roue de l'existence, du monde non physique au monde physique, à travers les états du Bardo, cette expérience de mort-renaissance, dont le lama Chogyam Trungpa nous dit qu'elle fait aussi partie de notre réalité psychologique et de notre expérience quotidienne.

Puis, lorsqu'une âme s'est suffisamment épurée dans l'incarnation, vient un moment où il n'est plus nécessaire qu'elle revienne et elle cesse de s'incarner. Pourtant il en est qui, parvenues à ce stade, font le choix délibéré de se revêtir de nouveau d'un corps de chair, d'entrer encore dans le cycle des naissances, des vies et des morts. Ces êtres s'appellent les Bodhisattvas. La légende dit que l'un des plus grands Bodhisattva qui ait marché sur cette terre, avec le Christ, avec Maitreya-le-Christ, le Bouddha, attend pour l'heure à la porte du paradis. Il attend que le dernier humain de la race ait atteint l'éveil complet, puis il entrera derrière lui et la porte du ciel se refermera.

LES HORIZONS DU FUTUR

Chapitre 11

LES VIES FUTURES

S'il est possible à la conscience de voyager dans le passé, peut-elle voyager dans le futur? C'est l'une des questions que je m'étais posée il y a une dizaine d'années, mais à l'époque j'en étais aux balbutiements de ma recherche et j'avais déjà suffisamment à faire avec les vies antérieures – avec les doutes, les rejets, l'incrédulité, bref le bouleversement que la découverte de tout cela suscitait en moi – pour me lancer dans cette folle prospective.

Pourtant, a priori, rien ne s'y opposait. Depuis Einstein, la physique moderne nous rappelle ce que les sages taoïstes enseignent depuis toujours : le temps n'existe pas. C'est une illusion, un produit de notre conscience qui, étant elle-même séquentielle, représente notre monde en termes de présent, passé et futur. C'est une illusion plus que commode, indispensable, pour fonctionner dans le monde physique, lequel n'est qu'un aspect du monde réel.

Les explorateurs d'autres états de conscience, qui se libèrent momentanément du plan terrestre, sont bien conscients alors de ce que le temps n'existe pas et que tout arrive, est en train d'arriver, à chaque instant, dans l'éternel présent qui contient en lui les germes de l'immortalité. Aussi n'est-il pas plus difficile, en état d'expansion de conscience, de se rappeler un épisode survenu il y a des siècles, voire des millénaires, que tout récemment. Et l'expérience prouve que les vies récentes ne sont pas revécues de façon plus vivace ou émotionnellement plus intense que celles qui remontent à l'aube de l'humanité. On comprend mieux l'illusion du temps lorsque l'on examine les rêves. Combien de temps dure effectivement un rêve et combien de temps couvre le contenu d'un rêve? Le temps ne s'écoule pas pour le rêveur car cette partie de lui-même qui rêve vit hors du temps.

Des chercheurs ont travaillé sur le futur mais les «progressions» dans les vies futures – puisque c'est ainsi qu'on les appelle – sont beaucoup moins fréquentes que les plongées dans le passé, d'abord parce qu'elles sont invérifiables, ensuite parce qu'elles sont plus délicates. Les explorateurs du futur ont en effet tendance à basculer, à sauter sans cesse d'une scène à une autre. Un papillonnage qui disparaît, bien sûr, dès que le sujet acquiert un peu d'expérience, c'est-à-dire assez rapidement, comme toujours avec les états spéciaux d'éveil. Mais il semble que, plus encore que pour les vies passées, l'expérience de l'opérateur soit ici fondamentale.

J'ai mentionné, au chapitre de la mort, notre rencontre, à mon épouse Marguerite et à moi-même, avec le Dr Helen Wambach en Californie, en 1984. Helen Wambach s'est rendue célèbre par ses travaux sur les régressions dans les vies passées, commencés dès les années soixante. Elle a publié ses recherches portant sur plusieurs milliers de régressions effectuées sous hypnose et s'est livrée à un travail de statistique très intéressant notamment sur le nombre et la fréquence des vies retrouvées aux mêmes endroits, à la même époque, etc. D'où il ressort que la culture dominante paraît sans influence sur les vies antérieures : ainsi on ne trouve pas plus de vies en Palestine ou dans l'Empire romain en 25 après J.-C. que de vies dans l'Empire chinois ou chez les Mongols. Cela dit en passant.

Lors de notre visite nous parlâmes, évidemment, beaucoup du voyage dans les vies passées car nombre de points me paraissaient encore obscurs. Puis Helen nous dit soudain qu'après avoir travaillé plus de vingt ans sur les vies passées, elle s'intéressait depuis deux ou trois ans aux voyages dans le futur. Je dressai aussitôt l'oreille car, comme je l'ai dit, j'y avais déjà songé mais mon expérience dans ce domaine était encore nulle. C'était donc possible?

C'est ce que s'était demandé le Dr Wambach : peut-on voyager dans les vies futures? Et dans ce cas, l'homme de la rue, l'Américain moyen est-il un prophète endormi qui ne demande qu'à être plongé dans un état spécial d'éveil pour se réveiller? Pour le savoir, elle avait mis au point tout un protocole de recherche. Impossible, bien sûr, de vérifier, comme avec le passé, les dires des voyageurs du futur. En revanche, il était facile de voir si les témoignages concordaient ou pas. Le Dr Wambach avait donc établi une liste de questions, similaires à celles qu'elle posait sur le passé et très ordinaires – sur la nourriture, l'habillement, l'organisation sociale. Elle avait sélectionné un groupe de cent personnes provenant de tous les coins des États-Unis et donc à la fois de milieux et de cultures différents, et commencé son travail. Celui-ci s'était montré d'un tel intérêt qu'elle avait obtenu pour le poursuivre une bourse d'études qui lui avait permis à ce jour de faire « progresser » 2 730 personnes dans le futur de la planète. Elle avait, depuis, légèrement changé ses méthodes d'investigations.

En apprenant tout cela, je ne pus résister et demandai à Hélène Wambach si elle accepterait de me faire progresser dans le futur. « Oui, me répondit-elle, mais pas à un niveau personnel; à un niveau planétaire. » Je m'interrogeai sur cette restriction. « C'est simple, me dit-elle, essayez d'imaginer comment vous vivriez tout à l'heure, demain, dans un mois si là, tout de suite, vous vous voyiez dans cinq ou dix ans coincé dans les décombres d'une voiture en train de brûler? »

Je m'allongeai sur son divan. J'ignorais, bien sûr, en cet instant, ce qu'avaient révélé mes 2 730 prédécesseurs. Je fermai les yeux, commençai à respirer comme elle me le demandait et, suivait à mon tour le processus que j'avais fait suivre des milliers de fois. Je mesurai au passage tout l'impact de cette femme avec sa forte personnalité, sa voix grave et ses vingt ans d'expérience. Je perdis très vite la notion du temps présent.

Pour faire progresser les gens dans le futur, le Dr Wambach avait mis au point une technique extrêmement intéressante. La voici, en résumé, appliquée à mon cas :

Après avoir effectué une relaxation classique, elle me demanda de retourner à l'âge de cinq ans et de me percevoir, petit garçon, dans ma chambre d'enfant. Instantanément, je me retrouvai dans la chambre de notre maison en Alsace. Puis elle me demanda de m'allonger sur mon lit et de voir,

205

de sentir entrer par la fenêtre une vibration qui enveloppait le petit garçon, l'entraînait dehors et le faisait monter au-dessus de sa maison, de son quartier, plus haut encore : au-dessus de sa ville et l'asseyait, enfin, sur un nuage.

La voix d'Helen Wambach se fit alors plus grave : « Vous êtes assis sur ce petit nuage, me dit-elle. La terre est au-dessous de vous et nous sommes en 1984. Pourtant la terre va peu à peu plonger vers le futur et vous, vous resterez sur votre nuage et vous regarderez ce qui se passe. Et tout de suite, nous allons nous retrouver au 1er janvier 1986, dans environ deux ans. Y a-t-il eu des événements marquants sur la planète Terre entre maintenant et le 1er janvier 1986? Trouvez une source d'information, un journal, une télé-vision, une radio ou tout simplement votre conscience supé-rieure. »

Je vis des murailles d'eau sur les côtes du Pérou et le dit à Helen. En fait, l'événement s'était déjà produit quelques mois plus tôt mais je l'ignorais. Puis je lui parlai de l'éruption possible d'un autre volcan californien après celui du mont Saint-Helen; rien de très marquant ne me venait à l'esprit.

– Allons au 1er janvier 1988, me dit Helen Wambach. Vous êtes toujours assis sur votre petit nuage et la Terre continue sa course. 1er janvier 88. Y a-t-il des événements marquants?

L'expérience commençait à devenir intéressante et étrange. Mes visions se faisaient plus précises. Je vis des vol-cans sous-marins en éruption dans l'océan Pacifique. Ce qui s'est avéré exact. Ces volcans sous-marins en s'activant ont donné naissance à un échauffement du Pacifique qui a pro-voqué à son tour des vents violents dans le courant de 1987. Ces vents ont fait le tour de la planète et créé des tsunamis, ces murailles d'eau de cent mètres de haut qui avancent à la vitesse d'un cheval au galop. Je décrivis ces tsunamis balayant furieusement les côtes du Japon, les Philippines et d'autres régions d'Extrême-Orient. Je vis aussi des pluies tor-rentielles en Europe de l'Ouest coexister avec des séche-resses dramatiques aux États-Unis et en Europe. Concernant les États-Unis, je fus assez vague mais je décrivis des troubles sociaux en France, des grèves, des manifestations d'étu-diants, des défilés de chômeurs et j'avançai ce chiffre impro-bable début 84 : trois millions de chômeurs en France en 1988. Puis je décrivis des mouvements de chars au Moyen-

Orient. J'entendis aussi des bruits de bottes à l'Est. Il me semblait que le monde préparait quelque chose de grave et je sentais en moi affluer et refluer des bouffées d'angoisse.

– Allez maintenant au 1er janvier 1990, me dit mon mentor, dans six ans. Vous êtes toujours assis sur votre petit nuage et non seulement vous vous enfoncez toujours plus profondément dans le futur mais vous allez maintenant faire le tour de la planète jusqu'à vous retrouver au-dessus du continent américain. Que voyez-vous là?

Je répondis que les conditions climatiques semblaient avoir définitivement changé. Le Sud des États-Unis souffrait d'une sécheresse grave tandis que le Nord était noyé sous des pluies torrentielles. Du reste, c'était le climat de la Terre tout entière qui semblait être en train de changer. En Californie, deux tremblements de terre aux secousses très violentes avaient fait des morts. Il me semblait qu'un quartier de San Francisco avait été détruit. Je vis aussi la garde nationale charger dans des quartiers misérables de New York et entrevis d'autres mouvements sociaux semblables dans d'autres villes du Sud des États-Unis : Saint Louis, Miami, Baton Rouge...

– Allez maintenant en Europe de l'Ouest, me dit Helen Wambach, allez en France. Que se passe-t-il?

– J'ai l'impression que les troubles sociaux s'aggravent, répondis-je. Il y a eu plusieurs dévaluations successives. Il semble que le nombre de chômeurs ait encore augmenté. Une espèce de misère s'installe et les gens sont de plus en plus inquiets. Je vois des mouvements de foule, des charges de police. Il y a aussi ce problème de changement des conditions atmosphériques : les récoltes sont très mauvaises depuis deux ans.

Helen Wambach me demanda alors de me rendre dans les pays de l'Est. Là, je vis des centaines de chars en mouvement dans une plaine enneigée et ce mouvement, me sembla-t-il, se faisait vers l'Ouest.

Par moments mon cerveau gauche, le rationnel, l'analyste, se rebellait contre ces visions transmises par mon cerveau droit, l'intuitif, celui qui parle par images. A tel point que je me demandai même, à un moment, si Helen Wambach n'avait pas versé un quelconque produit hallucinogène dans la tisane que nous avions tous bue de conserve avant de commencer la séance!

Les images continuaient d'affluer plus que par vagues, par rafales et de plus en plus précises.

Le Dr Wambach me demanda aussi de me rendre au Moyen-Orient. Que s'y passait-il au 1er janvier 1990? « La guerre Iran-Irak est terminée, dis-je aussitôt. Je vois, là aussi des mouvements de chars mais je ne perçois pas de présence russe. Il y a malgré tout des troubles extrêmement graves. Le Liban est quasiment détruit et en tout cas entièrement occupé militairement. »

Au 1er janvier 1992, je découvris un monde en pleine déstabilisation. Cette fois, c'était la chaîne des volcans sous-marins du Pacifique, le « Ring Fire » qui prend naissance dans les îles de la Sonde, en Micronésie, englobe les volcans californiens de la chaîne des « Cascade Range » et se termine en Oregon, le « Ring Fire » donc, qui était entré en éruption, provoquant un réchauffement du Pacifique de quelques degrés. La glace des pôles avait commencé à fondre. Certaines côtes du Japon étaient englouties. En Europe aussi, la bande côtière était touchée, inondée jusqu'à vingt kilomètres à l'intérieur des côtes en Normandie et sur la façade atlantique entre le Morbihan et Dax. Il y avait eu également des effondrements côtiers entre Nice et Perpignan. Une île était apparue au large de l'Angleterre. Un tremblement de terre sur la faille de Ramapo avait durement secoué New York. Et partout, c'était encore les mêmes alternances de pluies torrentielles, de mers de boue et de sécheresses catastrophiques. La famine avait fait son apparition ici et là. Partout c'était le marasme économique. La crise sociale s'aggravait. Au Moyen-Orient une guerre s'était déclarée entre Israël et la Syrie. Jérusalem était à moitié détruite; la Syrie rayée de la carte.

– Allez au 1er janvier 1994, me dit Helen Wambach. Ouvrez-vous plus profondément encore que pour que les informations du futur vous parviennent.

Elle fit un rapide décompte de dix à un.

Nous étions au 1er janvier 1994 et le monde était complètement déstabilisé; son écosystème gravement atteint. La Californie semblait avoir disparu sous les eaux; New York était vide aux deux tiers. L'Amérique était encore debout mais elle était atteinte dans ses œuvres vives. En Europe, c'était pareil. Toute l'économie chavirait. Un semblant d'ordre régnait encore mais le nombre de chômeurs se situait entre huit et neuf millions.

Je sentais l'angoisse m'envahir. Était-ce mon cerveau qui, sous l'effet d'une étrange maladie, imaginait tout cela ou ces informations qui me parvenaient de façon si vivace, si colorée m'arrivaient-elles vraiment du futur?

Et soudain, j'eus un choc. J'étais en train de survoler la France et je vis un volcan en éruption, en Auvergne. « Invraisemblable! Ça ne tient pas debout! » m'écriai-je en français. Helen me demanda ce qui m'arrivait et je le lui expliquai, en anglais cette fois. « De quel volcan s'agit-il? » me demandat-elle. Je m'entendis lui répondre : « Le Puits Marie. » Nous étions le 1er janvier 1994 et la Terre était en pleine déstabilisation. En foule, les gens quittaient les villes et tentaient de trouver refuge dans les campagnes. Le monde tout entier semblait sombrer peu à peu.

– Allez au 1er janvier 1996, dit Helen. Et là, une seconde, j'eus l'impression que mon cœur s'arrêtait. Tout était noir. Je ne vois plus rien, dis-je au Dr Wambach. C'est le black-out. Je dois être mort.

– Et votre femme?

– Je ne sais pas. Je ne la sens plus non plus. Peut-être estelle morte aussi?

– Avez-vous l'impression de flotter?

– Non... Je crois que je suis mort l'année dernière, en 1995.

– Alors vous allez vous enfoncer dans le futur encore plus loin jusqu'en 2050. Je vais compter jusqu'à trois et nous allons voir ce qui va se passer.

Helen voulait savoir si à cette époque je serais incarné de nouveau ou en train de flotter dans le Bardo. Elle eut, en fait, à peine le temps de compter qu'immédiatement je reçus l'image d'un enfant de trois ans.

– J'ai trois ans, lui dis-je, je suis un petit garçon.

– Très bien. Avançons un peu dans le futur. Vous êtes un adolescent. Décrivez-moi cette terre.

Je me mis à décrire une terre totalement différente de la nôtre aujourd'hui : une civilisation pastorale, paisible, où les gens semblaient avoir des dons télépathiques. Je les voyais travailler avec des lumières qui sortaient de leurs doigts et de leur front, des énergies de cristal. C'était très beau. Je décrivis aussi des lumières dans le ciel, des espèces de vaisseaux spatiaux. C'était un monde heureux, à la population clairsemée. S'agissait-il bien de la terre en 2050 ? N'était-ce pas plutôt un délire de mon imagination ou alors un autre cycle d'existence, sur un autre plan et une autre forme physique ? Jusqu'à aujourd'hui la question reste posée, même si, comme on va le voir, je crois avoir maintenant une idée de la réponse.

J'étais allé jusqu'au milieu du XXIe siècle. Helen Wambach décida qu'il était temps que je m'en retourne et me ramena graduellement à la conscience. Je m'assis sur son divan, un peu sonné, la tête entre les mains. Je me demandais si tout cela avait quelque validité ou constance.

Elle me laissa reprendre mes esprits puis, comme je lui demandai si toutes ces visions avaient quelque chose de commun avec celles qu'elle avait déjà collectées, elle me répondit :

« Ce que vous avez raconté correspond à 95 % à ce que pratiquement tous les sujets que j'ai eus en régression m'ont dit. » Et en me regardant droit dans les yeux, elle ajouta : « Il semblerait qu'en l'an 2000, il ne restera plus que 4 % de la population mondiale. Nous allons vers un basculement de l'axe de rotation de la Terre. C'est du moins ce qui ressort de l'étude des 2 730 progressions. D'après cette étude, la terre sera ravagée et le sera encore en 2100. On m'a décrit une Terre quasiment sans végétation où les gens vivent dans des villes sous dômes et se nourrissent avec des produits entièrement artificiels. Presque tous ont évoqué une nourriture qui ressemble à une racine, une espèce de végétal vert. Beaucoup de sujets se sont aussi décrits dans une immense colonie orbitale autour de la Terre. Toutefois, il semble que vers 2300 les choses s'arrangent. La Terre est verte à nouveau et l'homme recommence à manger ses fruits. Si en 2000 il ne restait plus que 4 % de la population mondiale, en 2300 elle a doublé. »

4 % de la population mondiale, cela voulait dire que sur cinq milliards d'individus il n'en restait plus que 200 millions. C'était un drame total ; mais de ces deux cents millions une humanité redémarrait...

Pour finir, j'abordai avec Helen Wambach d'autres aspects du problème qui sortent un peu du cadre de ce livre : ce que la Bible nous enseigne sur l'Apocalypse, ses quatre cavaliers et sur la seconde venue du Christ; ce que les autres traditions racontent au sujet du futur de l'humanité : les Chinois, les Musulmans, certaines légendes du Nord, les Indiens d'Amérique. Tout semble en effet converger pour annoncer sur la Terre un drame sans précédent. Pourtant le basculement de l'axe de la Terre n'est pas en soi exceptionnel. Certains savants avancent qu'au cours des différentes ères géologiques, c'est-à-dire dans ses quatre milliards d'années d'existence, la terre aurait déjà basculé jusqu'à cent soixante-douze fois sur son axe.

Après cette séance, nous sommes rentrés en France en nous promettant de ne jamais parler de cela en public, ni même à nos proches. A quoi bon, nous disions-nous, jouer les prophètes de malheur et affoler à l'avance les gens si tout cela est inéluctable? La seule chose que nous pensions vraiment devoir faire était de rappeler au maximum de personnes ce que nous, êtres humains, sommes vraiment, notre nature spirituelle et aussi notre responsabilité dans le devenir de la planète. Et de fait, nous n'avons parlé de cette expérience qu'à cinq ou six personnes dont Anne et Daniel Meurois-Givandan, célèbres pour leurs livres qui racontent leurs propres voyages dans le monde astral et les messages et informations qu'ils en ont rapportés.

Avec eux, je fis même une première puisque je les projetai tous les deux ensemble dans le futur de la planète. Et ce qu'ils ramenèrent, sur le divan, ce soir-là, à Paris, ressemblait étrangement à ce que j'avais décrit quelques mois plus tôt en Californie.

Parvenue dans les années 92, 93, Anne se mit même à capter l'angoisse d'une foule nombreuse en fuite, au point d'en avoir des sensations d'étouffement. Je lui demandai alors de monter plus haut sur son petit nuage afin de se dégager de cette vibration d'angoisse. Là encore, les choses correspondaient.

Pendant toute l'année 1984, avec des personnes dont nous étions sûrs, que nous connaissions bien et qui étaient, surtout, entraînées à faire ce genre d'expériences, nous montâmes un petit groupe de travail pour explorer le futur de la planète. Toutes nos progressions nous virent recueillir la même pénible moisson. Nous travaillions beaucoup sur la France, afin de trouver la manière d'aider les gens, à la fois de façon préventive et lorsque le temps serait venu et nous fîmes tous la même description, entre 1990 et 1992, d'un exode le long de la nationale 20 en direction des Pyrénées tandis que se créaient, çà et là, des communautés qui tentaient de porter secours à une population en plein désarroi.

Et puis au début de l'année 1985, j'en ai eu assez. J'ai soudain trouvé absurde de vivre dans une angoisse quasi journalière à force de prospecter un futur sombre. Si vraiment tout ceci allait se produire, eh bien c'est qu'il devait en être ainsi et la seule chose qui nous restait alors à faire était de parler aux gens d'amour, de partage, de fraternité et rien d'autre. C'est ce que nous nous sommes efforcés de faire depuis comme tant d'autres aux États-Unis et en Europe.

Je décidai donc la dissolution de notre petit groupe et nous passâmes l'année de cette manière.

Une nuit, je me retrouvai auprès de Veda et celui-ci me fit faire une sortie hors du corps pour me montrer la Terre. C'est là que pour la première fois je vis que son aura était grise, tachée et trouée à certains endroits. J'en ressentis une immense peine et de l'amertume. Puis je me sentis monter plus haut et là, de nouveau, inexplicablement, je vis la Terre dans toute sa splendeur, avec une belle aura verte. Il y avait là un message sans doute mais je ne le compris pas vraiment sur le moment.

Le groupe avait donc été dissous début 85. A la fin de cette année, je décidai tout de même, avec quelques-uns, de refaire une série d'explorations dans le futur.

Or à notre stupéfaction, les images que nous reçûmes alors n'avaient plus grand-chose à voir avec nos visions de 1984 et quasiment plus rien à voir du tout avec celles que j'avais eues avec Helen Wambach ou avec celles de ses 2 730 sujets. Intrigués, nous décidâmes donc de poursuivre l'expérience : à partir de 1986, tous les cataclysmes que nous avions décrits avaient disparu de nos visions. Ce que nous voyions maintenant était un monde qui s'avançait cahin-caha, à travers des passages parfois difficiles, vers un éveil de la conscience planétaire.

Que s'était-il passé ? Fallait-il en déduire que 2 730 personnes (plus quelques autres) avaient déliré en chœur ou était-ce nous qui nous trompions maintenant ? Avions-nous véritablement soulevé un coin du voile du futur ou s'agissait-il d'autre chose ?

En fait, la réponse est à la fois simple et complexe. C'est celle que j'ai aujourd'hui, en 1989. Mais elle peut varier, comme toutes choses.

Je crois qu'au début des années quatre-vingt un véritable potentiel de cataclysmes pesait sur notre planète. J'emploie à dessein le terme de potentiel pour la bonne et simple raison que je ne crois pas à un seul futur déterminé à l'avance – « de toute éternité », comme disent les déterministes sincères. Il y a des futurs possibles pour notre planète et ceux-ci sont créés par notre état de conscience à nous, êtres humains. Ce sont nos pensées d'hier qui ont créé notre réalité présente et ce sont nos pensées d'aujourd'hui qui créent notre futur. C'est vrai au niveau individuel et c'est vrai au niveau collectif. Mes pensées sur moi-même et ma vie créent mon propre futur. Mes pensées, conjuguées à celles des autres membres de ma famille créent le futur collectif de ma famille. Et les pensées conjuguées d'un ou de dix millions de personnes créent le futur de la planète.

Or au début des années quatre-vingt, l'état des consciences ressemblait fort à celui qui régnait l'année 1912, c'est-à-dire quatre ans avant la Première Guerre mondiale. Et puis, comme je l'ai signalé au début de ce livre, l'éveil des consciences qui se manifestait çà et là, mais de façon relative-ment marginale, depuis la fin des années soixante, a commencé à s'intensifier, tant aux États-Unis qu'en Europe de l'Ouest, à partir du virage des années quatre-vingt. De très nombreuses personnes ont commencé à s'ouvrir, à méditer, à prendre conscience qu'elles faisaient partie de la grande chaîne de la vie. Et les potentiels cataclysmiques ont commencé à s'alléger considérablement dès l'année 1985. Cela peut paraître à certains bien invraisemblable; mais de même que dans la Bible Dieu promettait d'épargner Sodome s'il y trouvait un seul Juste, je crois qu'il peut suffire qu'un million de personnes changent véritablement leur état de conscience pour que le devenir de la Terre entière en soit modifié et que celle-ci marche non plus vers sa destruction mais vers sa régénération.

Aussi, lorsqu'on me demande désormais si les cataclysmes que j'ai vécus avec les 2 730 sujets d'Helen Wambach ont des chances de se produire, je réponds non. Certes, notre planète risque de vivre dans les années quatre-vingt-dix qui viennent des moments peu faciles. Mais je crois surtout à un éveil planétaire des consciences susceptible de régénérer la Terre.

Telle était, je le crois aujourd'hui, la leçon de Veda lorsqu'il m'a montré les deux auras de la terre, la grise et la verte, l'ancienne et la nouvelle.

Je pense toutefois que dans les années quatre-vingt-dix il se trouvera de plus en plus de prophètes pour annoncer à la fois des cataclysmes planétaires et le sauvetage in extremis d'une poignée d'élus. Je ne crois pas à la poignée d'élus. Je crois que nous sommes cinq milliards d'élus, parce que nous sommes cinq milliards d'anges descendus sur Terre, même si, pour beaucoup, nous l'avons oublié...

Chapitre 12

L'ILLUSION DU TEMPS

Avant de clore ce chapitre sur le futur – et avec lui cet ouvrage – je voudrais maintenant raconter une double expérience qui a trait à la nature illusoire du temps. C'est une expérience personnelle et si elle peut paraître à certains un peu abstraite et complexe dans sa formulation, j'ai tenu à la voir figurer ici parce que je pense qu'elle peut «parler» à beaucoup.

En 1987, donc, j'avais la sensation d'avoir déjà digéré une somme très importante d'informations. Il y avait près de dix ans que je tentais de donner, dans un cadre élargi, des explications rationnelles à tous ces phénomènes non expliqués ou difficilement explicables – quoi qu'il en soit rejetés par toute la vision scientifique. C'est alors que j'ai été amené à franchir un autre pas.

C'était au printemps. Tous les matins je me réveillais avec une étrange sensation : on m'avait enseigné quelque chose pendant la nuit; j'en avais la certitude. Pourtant je ne parvenais absolument pas à ramener du fond de ma mémoire autre chose que des bribes de rêves.

Un après-midi, tandis que je me reposais, j'eus soudain des espèces de flashs, comme si certains fragments de ces enseignements nocturnes affleuraient ma conscience. Intrigué, je décidai d'utiliser sur moi mes techniques habituelles afin de me placer moi-même dans un état d'expansion de conscience. Je m'allongeai sur mon divan, me mis un casque sur la tête, me saisis d'un micro, procédai à une auto-relaxation et, au terme du processus habituel, me donnai à moi-même l'injonction suivante : « Je vais retourner vers ma conscience supérieure qui est à la source de tout. Et ma conscience supérieure va m'amener à retrouver peu à peu ce qui se passe en moi toutes les nuits. » Et j'ajoutai : « J'ai la possibilité de percevoir ma vie en perspective, d'un point de vue complètement détaché. Je peux élever ma conscience afin qu'elle atteigne ce qui n'est pas atteignable par mon état de conscience ordinaire : un état de paix totale, d'amour total, de liberté totale. »

Pour m'élever, je visualisai alors un escalier montant en ligne droite vers le ciel. Je comptai de un à cinquante et je projetai ma conscience dans cet escalier. Je la projetai symboliquement hors de mon corps, à travers un point situé au centre du front : le sixième chakra ou le fameux troisième œil de la tradition. Quand j'arrivai au chiffre 50, il me sembla être au sommet d'une très haute montagne. Mais j'étais aussi allongé sur mon divan et j'avais pleinement conscience des bruits environnants, de la maison, de la rue, car avec de l'entraînement on devient peu à peu capable de travailler sur plusieurs niveaux de conscience en même temps.

Je comptai encore de un à cinq en créant mentalement, à chaque nombre, des sensations d'élévation, afin que je m'ouvre encore et encore. Assez rapidement, au bout de dix minutes environ, je commençai à avoir des sensations de flottement puis j'entrai dans un univers clair qui me parut infini.

Je me sentais maintenant en union avec moi-même, avec le monde ou plus exactement avec les mondes, les différents plans de conscience. Je me donnai alors cette injonction :

« Je suis maintenant dans les niveaux les plus élevés de mon propre esprit et je vais laisser simplement certaines énergies s'exprimer à travers les cordes vocales de mon corps incarné. Dès que ces énergies pourront passer librement, ma voix les exprimera, elle aussi, librement. »

J'avais mis un magnétophone en route. Quelques minutes s'écoulèrent puis je commençai à parler, à exprimer ces énergies qui venaient d'un autre espace multidimensionnel, d'un autre espace-temps :

« Il existe encore un autre état de conscience : j'ai franchi une nouvelle porte. Je suis dans un domaine où il n'y a ni passé ni présent ni futur. Tout est en train d'arriver maintenant. Il n'y a pas d'histoire. L'histoire n'est perçue que par l'individu en état de fragmentation. Car l'histoire, c'est maintenant la réalité, qu'elle soit présente ou passée n'est rien d'autre qu'un potentiel parmi d'autres : celui que ma conscience explore... Chaque être humain fait partie d'un tout. Nous sommes UN. Chaque cellule de notre corps physique incarné porte en elle la somme totale de notre être. Elle est à la fois la partie et le tout. »

A ce stade, j'avais l'impression d'avoir atteint un autre niveau gigantesque, inconnu, indicible. Je sentais littéralement des flots d'énergie ruisseler en moi. J'avais l'impression d'être à la fois ici et ailleurs, partout et nulle part. C'était un peu comme si ma conscience, au lieu de s'ouvrir peu à peu s'était unifiée peu à peu. Il me semblait que j'étais devenu mon âme, ma conscience supérieure, mon moi divin, peu importe les noms que l'on donne à « Cela ».

Dans le même temps j'étais « parcouru par des flots d'informations » comme un gigantesque ordinateur et je me disais : « Les vies sont identiques au collier de perles du ciel d'Indra [1]. Chaque perle représente un tout et l'ensemble des perles représente encore le Tout. Il y a une perle à chaque niveau de conscience et pourtant chaque perle possède la capacité d'évoluer sur plusieurs niveaux de conscience en même temps. Les niveaux de conscience sont comme des vitres superposées au travers desquelles on peut voir les perles. Il y a un certain nombre d'êtres, d'incarnations, dans chaque perle mais toutes ces entités ne sont que moi, dans des vies différentes, moi dans mon passé, moi dans mon futur et chaque être, en se déplaçant dans le niveau de conscience qui lui est propre, influe sur les autres niveaux. »

A cet instant, je perçus Govenka, puis le moine, l'Égyptien, l'Atlante que j'avais été dans des vies antérieures et d'autres, d'un passé plus reculé encore. Je me sentais devenir innombrable. D'autres informations continuaient à affluer : « Govenka est une enseignante. Elle est moi et je suis elle. Elle existe dans une autre époque et est en train de faire passer un certain nombre de choses à travers ma conscience lorsque mon corps est endormi et que le filtre du mental n'opère pas. Et derrière Govenka, il y a Veda. A son époque elle avait, elle aussi élevé sa conscience à travers Veda ».

1. Dans la littérature védique de l'Inde, il est dit qu'il existe un collier fait de perles si fines et si pures qu'en regardant au travers de l'une d'elles on peut voir toutes les autres s'y refléter.

J'eus alors l'impression de me fondre encore plus profondément dans mon âme. C'était comme si je vivais simultanément sur plusieurs réalités temporelles et, dans cet état de conscience, j'eus soudain la certitude que Govenka « savait » que dans un futur lointain elle allait se réincarner en tant que Patrick, comme j'ai « su » qu'au moment de l'apparition de Veda, l'être de lumière dans la clairière, Govenka avait eu à son tour la perception que l'une de ses incarnations futures était à ses côtés et vivait la même expérience qu'elle.

Puis je me sentis redescendre. Cet extraordinaire voyage prenait fin. Tout doucement je me « glissai dans mon corps »[1]. Je sentais dans le même temps ma conscience se fermer peu à peu, se réadapter au monde d'ici. Je savais que je venais de trouver un morceau important du puzzle que j'essayais de reconstituer depuis dix ans, depuis des millénaires, un puzzle qui était un jeu de l'oie cosmique, un gambit des étoiles.

L'année suivante j'ai découvert un autre morceau du puzzle. Durant l'été 1988, nous sommes repartis avec Marguerite et notre fils presque deux mois aux États-Unis et nous avons passé une semaine au Monroe Institute, un centre de recherche sur l'accroissement des potentiels du cerveau, l'exploration des différents niveaux de conscience et le phénomène de la sortie hors du corps. Le Monroe Institute se trouve en Virginie, près de Charlottesville[2] où le centre de recherche lui-même occupe une surface de 400 hectares. Nous avions choisi un programme d'exploration des niveaux de conscience. Le processus est graduel et s'étale sur plusieurs jours. Le cinquième jour, à partir duquel commence l'exploration d'autres systèmes énergétiques au-delà du monde physique, je vécus une expérience particulièrement intense.

J'étais entré dans cet état où l'on vit simultanément plusieurs temps à la fois et que je commençais à bien connaître. Soudainement, je perçus un être vêtu de sombre. Une lumière sortait de sa main puis un globe y apparut. Sur ce

1. Il ne s'agissait pas là d'une sortie hors du corps, d'une projection astrale, mais d'un état d'expansion de conscience.
2. Fondé par Robert Monroe, un ancien homme d'affaires qui s'est consacré à cette recherche après avoir expérimenté pendant des années des sorties hors du corps spontanées.

globe, il y avait une ville dont je « sus » – avec toujours cette même certitude intime – qu'elle appartenait au futur lointain. Puis je perçus que simultanément, dans le futur, l'une de mes prochaines incarnations – ou l'une de mes créations? – faisait la même expérience que moi. Y avait-il un niveau de conscience à partir duquel je pourrais obtenir des informations sur l'une de mes incarnations dans le futur lointain? Je réalisai brutalement que c'était ce que j'étais en train de faire là, dans ce centre de recherche sur la conscience humaine. J'étais en train d'obtenir des informations sur moi-même, sur l'origine de la race humaine et sur la nature de la conscience humaine. Et je comprenais quelles limites étaient celles de notre espèce encore semi-intelligente...

L'expérience continuait : je me sentis monter encore dans un niveau de conscience plus élevé, et là, il n'y avait plus de maîtres, pas de guides spirituels mais différents niveaux de fréquences intelligentes, si l'on peut dire et à défaut d'autres termes. Là, tout était vide, en paix, serein. Et soudain, quand je m'y attendais le moins, je sentis la vibration d'un sanglot dans ma conscience et je réalisai que notre humanité, malade d'elle-même, avait forgé ses chaînes depuis des milliers d'années...

Puis je redescendis sur terre. Et là, je rencontrai Joe Mac Monagle! Ancien officier des services de renseignement de l'armée américaine, démobilisé en 1984 après vingt-cinq ans de service, Joe est ce que les Américains appellent un « remote viewer », quelqu'un qui voit à distance. Mais il a quelque chose de plus : il est capable de décrire un lieu et de donner son nom à partir de ses seules coordonnées géographiques. Cet homme a fait plus de 1 300 expériences de ce type et, connecté à toute une batterie d'appareils de mesure et de contrôle, il est actuellement capable de projeter sa conscience dans la planète et d'y détecter les poches de gaz et les gisements pétrolifères.

Cet ancien officier de l'US Army a vu ses étonnantes capacités se développer d'une manière étrange. Il a été laissé pour mort sur un champ de bataille au Viêt-nam, a pu être réanimé par une espèce de miracle et est revenu à la vie ainsi changé. Nous eûmes une discussion passionnée, sur ce qu'il vivait, sur mes recherches, sur la conscience... Et comme je lui demandais, encore sous le coup de ma triste vision, pourquoi tant de chercheurs et de scientifiques refusaient encore l'évidence d'autres réalités, il s'écria : « Mais parce que nous sommes encore dans un état primitif! Heureusement, j'ai l'impression qu'un nombre de plus en plus important de personnes sont en train d'évoluer actuellement.

CONCLUSION

Cet ouvrage est le fruit d'une quête intensive et systématique qui porte sur plus de dix ans. Cette décennie représente un voyage de transformation et personnel de découverte de soi, en même temps qu'un processus d'exploration scientifique et spirituel des territoires encore quasi inexplorés de la psyché humaine.

La recherche et l'exploration des états d'expansion de conscience deviennent peu à peu des états de co-naissance – dans le sens d'une nouvelle naissance – pour tous ceux qui en ont fait l'expérience. Et ces prises de conscience mènent vers des sommets que l'intellect ne peut ni sonder, ni comprendre, ni expliquer.

Ces états spéciaux d'éveil confinent parfois à des états mystiques dans le sens premier du terme grec « qui garde le silence ». Et cette ouverture de conscience qui mène invariablement vers les vies passées, transcende nos possibilités limitées de perception. Une personne qui ramène à la conscience des vies passées aborde bien souvent ces souvenirs comme autant de phases obligatoires du processus d'une transformation intérieure qui mènent vers un nouveau niveau de conscience. Les individus engagés dans une telle exploration se rendent soudainement compte que l'humanité se trouve confrontée à des dilemmes graves. Dans un cas, il y a une course technologique sans âme, une science sans conscience, une manipulation du monde. Dans l'autre cas, le retour vers soi et le désir de vivre un processus de transformation radicale qui amène à un nouvel état d'esprit, un

221

nouvel état de conscience. Le premier cas peut nous conduire à une mort individuelle, collective ou planétaire au milieu d'un écosystème anéanti; le second cas offre des perspectives révolutionnaires qui mènent vers une ère solaire, une époque de partage et de fraternité.

Au terme de toutes ces années, j'ai souhaité sensibiliser d'autres personnes à ma démarche et à mes recherches et ai ainsi formé un certain nombre de médecins, psychologues, thérapeutes ou simplement des êtres qui se sont dévoués à la relation d'aide aux autres. Actuellement, un nombre de plus en plus important de professionnels des deux côtés de l'Atlantique incite un très large public à marcher vers un nouvel avenir qui mène à une société transformée. Les rêves de tous ces êtres sont la richesse qui a toujours existé chez l'être humain depuis les origines, l'héritage qui a toujours existé tout au long de nos guerres et de nos folies.

Nous vivons actuellement à une époque fondamentale, à une croisée des chemins et malgré mes différentes plongées dans le futur, je ne puis apporter que de faibles indications. Peut-être dans une génération, le monde occidental ne se posera plus de question sur le problème de la réalité d'une conscience immortelle incarnée dans chaque être humain.

Or, rien de tout cela ne sera vraiment possible si les liens avec notre environnement, avec l'Autre restent purement mentaux. De même, l'aide au voyage dans les vies passées dépend en grande partie de différents facteurs; il faut que le contact soit profond et fort, le veilleur – celui qui accompagne le voyageur – doit réduire au minimum son processus de pensée. Il lui faut entraîner l'explorateur dans un courant d'amour de plus en plus profond. C'est par l'éveil de la conscience et non par des concepts intellectuels, si élevés soient-ils qu'il faut aider le voyageur du temps à se dépouiller peu à peu des problèmes, des fausses croyances dans lesquels il a été enfermé et dans lesquels il a peiné parfois depuis bien longtemps.

Ainsi, peu à peu, nous réalisons que nous ne sommes pas seulement nous, nous sommes un ferment, un levain. Nous nous rendons compte que nous sommes, en tant qu'espèce, un élément indispensable de la création, car c'est à travers chacun d'entre nous que Dieu vit sa création.

Et comme William Blake, pourrions-nous nous écrier :

222

Éveille-toi! Éveille-toi, ô dormeur du pays des ombres,
[debout!
Fais de toi un champ sans limite
Je suis en toi, tu es en moi, en mutuel amour...
De l'amour les fibres lient chaque homme à l'autre
Regarde! Nous sommes UN.

Si vous souhaitez être tenu au courant des différentes activités (séminaires, conférences) et des recherches de Patrick Drouot, veuillez écrire à :

Patrick Drouot
BP 446
75830 Paris Cedex 17

TABLE DES MATIÈRES

QUATRIÈME PARTIE
LES HORIZONS DU FUTUR